nuovo

T. Marin
S. Magnelli

PROGETTO ITALIANO 2

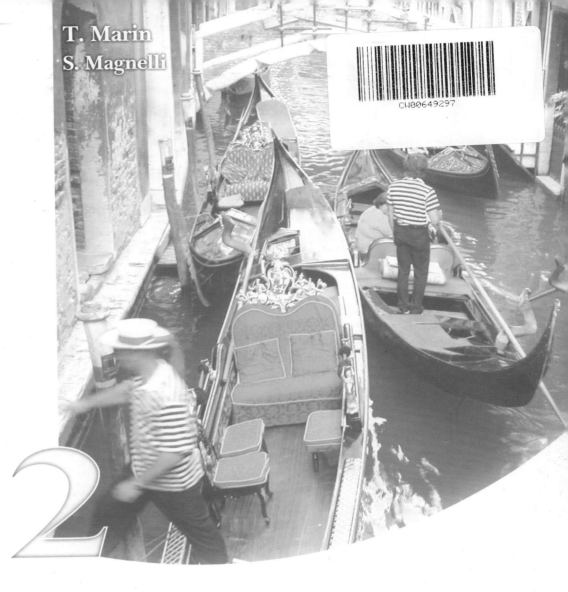

Corso multimediale
di lingua e civiltà italiana

livello intermedio

B1-B2 QUADRO EUROPEO DI RIFERIMENTO

Libro dello studente

www.edilingua.it

T. Marin dopo una laurea in Italianistica ha conseguito il Master Itals (Didattica dell'italiano) presso l'Università Ca' Foscari di Venezia e ha maturato la sua esperienza didattica insegnando presso varie scuole d'italiano. È autore di diversi testi per l'insegnamento della lingua italiana: *Progetto italiano 1, 2 e 3* (Libro dello studente), *La Prova orale 1 e 2*, *Primo Ascolto*, *Ascolto Medio*, *Ascolto Avanzato*, *l'Intermedio in tasca*, *Ascolto Autentico*, *Vocabolario Visuale* e *Vocabolario Visuale - Quaderno degli esercizi* e ha curato la collana *Video italiano*. Ha tenuto numerosi seminari sulla didattica dell'italiano come lingua straniera e sono stati pubblicati diversi suoi articoli.

S. Magnelli insegna Lingua e Letteratura italiana presso il Dipartimento di Italianistica dell'Università Aristotele di Salonicco. Dal 1979 si occupa dell'insegnamento dell'italiano come LS; ha collaborato con l'Istituto Italiano di Cultura di Salonicco, nei cui corsi ha insegnato fino al 1986. Da allora è responsabile della progettazione didattica di Istituti linguistici operanti nel campo dell'italiano LS. È autore dei Quaderni degli esercizi di *Progetto italiano 1, 2 e 3*.

Gli autori e l'editore sentono il bisogno di ringraziare i tanti colleghi che, con le loro preziose osservazioni, hanno contribuito al miglioramento di questa nuova edizione.
Un sincero ringraziamento, inoltre, va agli amici insegnanti che, visionando e provando il materiale in classe, ne hanno indicato la forma definitiva.
Infine, un pensiero particolare va ai redattori e ai grafici della casa editrice, senza i quali la realizzazione di questo libro non sarebbe stata possibile.

a mia figlia per tutto quello che, inconsapevolmente, mi dà
T. M.

© Copyright edizioni Edilingua
Via Paolo Emilio, 28 00192 Roma

Via Moroianni, 65 12133 Atene
Tel. +30 210 57.33.900
Fax +30 210 57.58.903
www.edilingua.it
info@edilingua.it

III edizione: febbraio 2008
ISBN: 978-960-6632-76-1
Redazione: A. Bidetti, L. Piccolo, M. Dominici
Ha collaborato: M. G. Tommasini
Foto: M. Diaco, T. Marin
Impaginazione e progetto grafico: S. Scurlis (Edilingua)
Illustrazioni: S. Scurlis, L. Sabbatini
Registrazioni: *Networks* srl, Milano

Gli autori apprezzerebbero, da parte dei colleghi, eventuali suggerimenti, segnalazioni e commenti sull'opera (da inviare a redazione@edilingua.it)

Premessa

Incoraggiati dall'ottima accoglienza riservata all'edizione di *Nuovo Progetto italiano 1*, vi proponiamo *Nuovo Progetto italiano 2*, un libro più aggiornato e completo, frutto di una ponderata e accurata revisione, resa possibile grazie al prezioso feedback di tanti colleghi e colleghe che hanno usato il libro. In questa Nuova edizione si sono tenute presenti le esigenze nate dalle teorie più recenti e dalla realtà che il Quadro Comune Europeo di Riferimento per le Lingue e le certificazioni d'italiano hanno portato. Questo facendo tesoro di tutto ciò che gli approcci e i metodi precedenti hanno dato all'insegnamento delle lingue.

La lingua moderna, le situazioni comunicative arricchite di spontaneità e naturalezza, il sistematico lavoro sulle quattro abilità, la presentazione della realtà italiana attraverso testi mirati sulla cultura e la civiltà del nostro Belpaese, articoli tratti dai maggiori quotidiani e periodici italiani, il maggior utilizzo di materiale autentico, l'impaginazione moderna e accattivante fanno di *Nuovo Progetto italiano 2* uno strumento didattico equilibrato, efficiente e semplice nell'uso. Un manuale alleggerito nelle prime unità per rendere il passaggio dal livello elementare a quello intermedio più naturale, grazie anche ad attività di reimpiego che riprendono alcuni punti trattati in *Nuovo Progetto italiano 1*.

Noterete che l'intero *Libro dello studente* è un costante alternarsi di elementi comunicativi e grammaticali, allo scopo di rinnovare continuamente l'interesse della classe e il ritmo della lezione, attraverso attività brevi e motivanti. Riguardo alle attività e agli esercizi, si è scelto di privilegiare soprattutto le tipologie più usate nelle certificazioni per i livelli B1-B2 del Quadro Comune Europeo. Si è cercato, allo stesso tempo, di semplificare e "smitizzare" la grammatica, lasciando che sia l'allievo a scoprirla, per poi metterla in pratica nelle varie attività comunicative. Attività che lo mettono ancora di più al centro della lezione, protagonista di un "film" di cui noi insegnanti siamo registi. Ecco, *Nuovo Progetto italiano 2* potrebbe esser visto come il copione su cui basare il vostro "film"...

La Nuova edizione

Nuovo Progetto italiano 2 è ancora più moderno dal punto di vista metodologico, più comunicativo e più induttivo: l'allievo è costantemente sollecitato a scoprire i nuovi elementi, grammaticali e non. Ogni unità è stata suddivisa in sezioni per facilitare l'organizzazione della lezione. Altri cambiamenti hanno riguardato i contenuti grammaticali: alcune forme, selezionate in base a un'accurata ricerca, sono state spostate in Appendice. Un'altra importante novità è data dalle pagine di cui si è arricchita ciascuna unità del *Libro dello studente*: una pagina iniziale di attività preliminari (*Per cominciare...*) e una pagina finale con brevi esercitazioni (*Autovalutazione*). Inoltre, sono presenti dei brani audio autentici e più attività di comprensione orale mentre i dialoghi, registrati da attori professionisti, sono più naturali, spontanei e meno lunghi. Un'altra novità sono le interviste autentiche incentrate su alcuni argomenti delle unità. C'è una maggiore coerenza tra il lessico del *Libro dello studente* e quello contenuto nel *Quaderno degli esercizi* che presenta attività meno lunghe, più varie e nuovi test finali. Le illustrazioni sono state rinnovate con foto nuove, più naturali e con simpatici disegni; allo stesso tempo una grafica più moderna, ma più chiara, facilita la consultazione.

La struttura delle unità (per maggiori suggerimenti si veda la *Guida per l'insegnante*)

- La pagina introduttiva di ogni unità (*Per cominciare...*) ha lo scopo di creare negli studenti l'indispensabile motivazione iniziale attraverso varie tecniche di riflessione e coinvolgimento emotivo, di preascolto e ascolto.

- Nella prima sezione dell'unità, l'allievo legge e/o ascolta il brano registrato e verifica le ipotesi formulate e le risposte date nelle attività precedenti. Questo tentativo di capire il contesto porta ad un'inconscia comprensione globale degli elementi nuovi. Alcuni dialoghi introduttivi sono presentati in maniera più motivante, attraverso il ricorso a differenti tipologie, in modo da rendere più partecipe lo studente durante l'ascolto.

- Il dialogo introduttivo è spesso seguito da un'attività, che analizza le espressioni comunicative (modi di dire, espressioni idiomatiche), nella quale si invita lo studente a scoprirle in maniera induttiva e senza estrapolarle dal loro contesto.

- In seguito, lo studente prova a inserire le parole date (verbi, pronomi, preposizioni ecc.) in un dialogo simile, ma non identico, a quello introduttivo. Lavora, quindi, sul significato (condizione necessaria, secondo le teorie di Krashen, per arrivare alla vera acquisizione) e inconsciamente scopre le strutture. Un breve riassunto, da svolgere preferibilmente a casa, rappresenta la fase finale di questa riflessione sul testo.

- A questo punto l'allievo, da solo o in coppia, comincia a riflettere sul nuovo fenomeno grammaticale cercando di rispondere a semplici domande e completando la tabella riassuntiva con le forme mancanti. Subito dopo, prova ad applicare le regole appena incontrate esercitandosi su semplici attività orali. Un piccolo rimando indica gli esercizi da svolgere per iscritto sul *Quaderno degli esercizi*, in una seconda fase e preferibilmente a casa.

- Le funzioni comunicative e il lessico sono presentati con gradualità, ma in maniera tale da far percepire allo studente un costante arricchimento espressivo delle proprie capacità di produzione orale. Gli elementi comunicativi vengono presentati attraverso brevi dialoghi o attività induttive e poi sintetizzate in tabelle facilmente consultabili. I *role-plays* che seguono possono essere svolti sia da una coppia davanti al resto della classe oppure da più coppie contemporaneamente. In entrambi i casi l'obiettivo è l'uso dei nuovi elementi e un'espressione spontanea che porterà all'autonomia linguistica desiderata. Ogni intervento da parte dell'insegnante, quindi, dovrebbe mirare ad animare il dialogo e non all'accuratezza linguistica. Su quest'ultima si potrebbe intervenire in una seconda fase e in modo indiretto e impersonale.

- I testi di *Conosciamo l'Italia* possono essere utilizzati anche come brevi prove per la comprensione scritta, per introdurre nuovo vocabolario e, naturalmente, per presentare vari aspetti della realtà italiana moderna. Si possono assegnare anche come attività da svolgere a casa.

- L'unità si chiude con la pagina dell'*Autovalutazione* che comprende brevi attività soprattutto sugli elementi comunicativi e lessicali dell'unità stessa, così come di quella precedente. Gli allievi hanno a disposizione le chiavi, ma non sulla stessa pagina, e dovrebbero essere incoraggiati a svolgere queste attività non come il solito test, ma come una revisione autonoma.

Il CD-ROM

Nuovo Progetto italiano è probabilmente l'unico manuale d'italiano che comprende un CD-ROM interattivo senza costi aggiuntivi. Il *CD-ROM* di *Nuovo Progetto italiano 2*, un innovativo supporto multimediale che completa e arricchisce il materiale cartaceo, offre tante ore di pratica supplementare. Inoltre, grazie all'alto grado di interattività e, di conseguenza, ad uno studio più attivo e autonomo, l'allievo è costantemente motivato. Il CD-ROM permette di seguire il percorso *Esercizi extra*, attività completamente nuove rispetto al *Quaderno degli esercizi*, di ottenere un feedback incoraggiante, una valutazione e, in qualsiasi momento, di stampare la propria pagella. L'allievo può, inoltre, percorrere i contenuti del manuale anche per brani audio (tutti i brani del libro), fenomeni grammaticali, elementi comunicativi o di civiltà.

I materiali extra

Tra i materiali extra che completano *Nuovo Progetto italiano 2*, ricordiamo: le *Attività online*, cui rimanda un apposito simbolo alla fine di ogni unità, presenti sul sito di Edilingua (www.edilingua.it/progetto) e rivolte a tutti coloro che vogliono approfondire la conoscenza non solo della lingua, ma anche degli aspetti socioculturali dell'Italia di oggi; la *Guida per l'insegnante* che, oltre a idee e suggerimenti pratici, comprende prezioso materiale da fotocopiare, giochi e così via.

Buon lavoro!
Gli autori

Legenda dei simboli

Attività in coppia   Situazione comunicativa   Produzione orale libera   Produzione scritta

Ascoltate la traccia n. 12 del CD audio o del CD-ROM   Nel *Quaderno degli esercizi* fate l'esercizio 10   Andate a www.edilingua.it/progetto e fate le attività online

1 Comprensione e comunicazione

a. Ascoltate una prima volta e prendete appunti. Ascoltate di nuovo e abbinate le frasi alle funzioni comunicative.

1	a. chiedere un parere		e. esprimere rammarico
	b. esprimere un desiderio		f. esprimere accordo
	c. chiedere un favore		g. chiedere informazioni
	d. rifiutare la collaborazione		h. invitare

b. Scrivete una vostra frase con le espressioni che ricordate.

....

....

2 Grammatica. Completate le frasi con i verbi al tempo e modo opportuni.

1. Se non riuscite a svolgere correttamente l'esercizio, *(fare)* .... bene a ripassare la lezione di ieri.
2. I miei genitori *(conoscersi)* .... al matrimonio del cugino di mia madre.
3. Sabato scorso, all'inaugurazione della mostra su Leonardo *(esserci)* .... tantissima gente.
4. Per favore Paolo, *(darmi)* .... una mano a spostare questo divano!
5. Scusami, *(esprimersi)* .... male, non volevo offenderti.
6. Quando sono arrivato alla fermata, l'autobus *(partire)* .... da poco.
7. Martina e Alessandro *(rimanere)* .... a casa, preferiscono guardare il Festival di Sanremo!
8. Se passo l'esame, *(essere)* .... il primo a saperlo: mi hai aiutato così tanto!

3 Produzione orale

Lavorate in coppia. Fatevi delle domande e raccontatevi a vicenda come e dove avete trascorso le ultime vacanze. In seguito, ognuno di voi può riferire brevemente alla classe ciò che ha fatto il compagno.

5

4 Comunicazione. Cosa direste nelle seguenti situazioni? Rispondete oralmente.

1. Hai invitato un amico a casa. Spiegagli come può arrivare a casa tua.

2. Chiedi a un amico i suoi progetti per le prossime vacanze estive.

3. Sei al supermercato. Cosa dici per comprare il formaggio parmigiano?

4. Sei in un ristorante italiano. Cosa ordini?

5 Produzione scritta

Scrivete un'e-mail al vostro nuovo insegnante per raccontare in breve *(50-60 parole)* il precedente anno/livello/corso di italiano, cioè prima di cominciare a usare questo libro. Che cosa vi è piaciuto di più e cosa di meno, cosa avete trovato più difficile, com'erano i compagni e così via.

6 Lessico

 a. In coppia completate con le parole richieste e confrontate le risposte con i compagni di classe.

2 generi cinematografici: ...., ...

2 feste: ...., ...

3 stanze di una casa: ...., ..., ...

1 stagione e *2* mesi: ...., ..., ...

b. Abbinate le parole alle immagini corrispondenti.

1. pentola a pressione   2. formaggio   3. pantaloni   4. divano   5. penne

6. farfalle   7. camicia   8. caffè   9. latte   10. vestito

7 Grammatica. Completate il testo con i pronomi e le preposizioni.

Sabato pomeriggio sono andata ....(1) centro commerciale con i miei fratellini, Viola e Renato. Non è stata una buona idea, però. Viola ....(2) un certo punto doveva andare in bagno, così ho chiesto a Renato di aspettarci e ....(3) ho accompagnata. Quando siamo tornati, Renato stava piangendo perché un altro bambino ....(4) aveva preso il cappello. La madre, per convincere il figlio a restituirlo a mio fratello, ...(5) ha detto: "Adesso basta, rida........................(6) il cappello, per te ne compriamo un altro". ....(7) quel punto Renato mi ha detto: "Anch'io voglio un cappello nuovo!". E, ovviamente, si è fatta sentire anche Viola: "........................(8) voglio anch'io!". Io ho risposto: "Non ....(9) compro niente!". Loro hanno cominciato ....(10) piangere e io per non sentirli ....(11) ho dovuti accontentare. Mia madre non ....(12) ha neanche restituito i soldi, dice che la colpa è mia anche perché avevo insistito tanto per portarli con me! Beh... in fondo ha ragione!

8 Comunicazione. Cosa direste in queste situazioni? Rispondete per iscritto e/o oralmente.

1. Sei con un amico a Firenze e volete fare una foto insieme. Chiedi aiuto a un passante.

....

....

2. Sei in un negozio di abbigliamento. Cosa dici per comprare una maglietta?

....

....

3. Sei alla stazione. Vuoi andare da Roma a Milano e ritornare. Cosa dici all'impiegata della biglietteria?

....

....

4. Entri in un bar. Vuoi prendere un caffè. Che cosa chiedi al barista?

....

....

Verificate le vostre risposte a pagina 203 e... benvenuti in _Nuovo Progetto italiano 2_!

Per cominciare...

 1 Osservate le immagini e scambiatevi idee: quali di queste materie ritenete più interessanti e quali più difficili?

 2 Ascoltate una prima volta il dialogo: di quale o di quali materie si parla?

 3 Ascoltate di nuovo e indicate le affermazioni veramente presenti.

1. ma chi grida così?
2. ti volevo chiedere
3. ti servono i miei appunti?
4. te li darei volentieri
5. adesso come faccio?
6. magari te li può prestare lei
7. avevo appena cominciato a sfogliarli
8. sei un tipo romantico
9. me li potresti prestare?
10. non ho tempo di fotocopiarle

In questa unità...

1. ...impariamo a scusarci e a rispondere alle scuse, a esprimere sorpresa e incredulità, a rassicurare qualcuno, a complimentarci con qualcuno, a esprimere dispiacere;
2. ...conosciamo i pronomi combinati e gli interrogativi;
3. ...troviamo informazioni sulla scuola e sull'università in Italia.

A Mi servono i tuoi appunti!

1 Leggete e ascoltate i due dialoghi. Confermate le vostre risposte all'attività precedente.

Lorenzo:	Claudio, Claudio!
Claudio:	Oh, che c'è? Perché gridi così?
Lorenzo:	Finalmente ti trovo. Senti... ti volevo chiedere... tu l'esame di letteratura l'hai superato, vero?
Claudio:	Sì, ho preso 30.
Lorenzo:	Caspita! Bravo! Allora, mi servono assolutamente i tuoi appunti!
Claudio:	Non ci credo, anche tu! Guarda, te li avrei dati volentieri, solo che arrivi un po' tardi! Mi ha chiamato ieri Valeria per chiedermi la stessa cosa, i miei appunti. Glieli ho dati proprio stamattina!
Lorenzo:	Accidenti! E adesso come faccio?
Claudio:	Scusami, me lo potevi dire prima, no? Perché non la chiami? Magari te li può prestare lei.
Lorenzo:	Dici? Ok... credo di avere il suo numero. Comunque, grazie lo stesso.

...lo stesso pomeriggio...

Valeria:	Pronto!
Lorenzo:	Ciao, Valeria, sono Lorenzo.
Valeria:	...Lorenzo? Ah ciao, come va?
Lorenzo:	Bene, grazie. Claudio mi ha detto che i suoi appunti ce li hai tu. Me li potresti dare per un po'?
Valeria:	...Veramente... avevo appena cominciato a sfogliarli!
Lorenzo:	Hai ragione, ma a me serve soprattutto la parte sul Romanticismo.
Valeria:	Ah, se non sbaglio, sono una trentina di pagine. Queste te le posso prestare. Però, mi raccomando, mi servono presto.
Lorenzo:	Non ti preoccupare, giusto il tempo di fotocopiarle! Te le darò subito indietro. Grazie mille!

2   **Leggete di nuovo e rispondete alle domande.**

1. Di che cosa ha bisogno Lorenzo?
2. Perché si rivolge a Claudio?
3. Perché poi si deve rivolgere a Valeria?
4. Come si risolve la situazione?

3   **Abbinate le due colonne. Cosa dice Lorenzo per...**

...esprimere sorpresa   *Bravo!*

...fare i complimenti a Claudio   *Caspita!*

...esprimere contrarietà, dispiacere   *Non ti preoccupare!*

...rassicurare Valeria   *Accidenti!*

4   **Il giorno dopo Lorenzo incontra all'università una sua amica. Completate il loro dialogo con le parole date.**

Lorenzo:	Siamo fortunati!
Beatrice:	Perché, cos'è successo?
Lorenzo:	Finalmente sono riuscito a trovare gli appunti di letteratura che cercavo.
Beatrice:	Che bello! Chi (1).............................?
Lorenzo:	(2)........................... oggi Valeria. Sono quelli di Claudio. Ma (3)............................. che lui ha preso 30?
Beatrice:	Davvero? Non lo sapevo. Io mi accontenterei anche di un 25! Comunque, li darai anche a me, no?
Lorenzo:	Veramente Valeria non mi può dare tutto. (4)............................. solo le pagine sul Romanticismo. Queste certo che (5)............................. . Anzi, faccio una copia anche per te.
Beatrice:	Benissimo! Sai, anche Sabrina avrebbe bisogno di questi appunti. Ne potresti fare una anche per lei?
Lorenzo:	Va bene. Alla fine mi sa che tutti studieranno sugli appunti di Claudio! Al posto suo io (6).............................!!

lo sai   te li ha dati   li pubblicherei   Me li presterà   te le darò   Mi porterà

5   **Scrivete un breve riassunto *(40-50 parole)* del dialogo introduttivo.**

6 Nel dialogo introduttivo abbiamo visto le frasi che seguono. In piccoli gruppi spiegate brevemente, come nell'esempio, a che cosa si riferiscono i pronomi in nero e in blu.

(Claudio) **te li** avrei dati volentieri   *a te, gli appunti*

(Claudio) **Glieli** ho dati proprio stamattina   ....

(Lorenzo) **Me li** potresti dare   ....

(Valeria) Queste **te le** posso prestare   ....

7 Avete notato come si trasformano i pronomi indiretti quando si uniscono a quelli diretti?
Adesso, sempre in gruppi, completate la tabella. Se volete rivedere i pronomi diretti e indiretti consultate l'Appendice grammaticale a pagina 183.

I pronomi combinati		
Eva, <u>mi</u> dai un attimo <u>il tuo dizionario</u>?	*(mi+lo)* ⇨	**Me lo** dai un attimo?
<u>Ti</u> devo portare <u>le riviste</u> stasera?	*(ti+le)* ⇨	.... devo portare stasera?
Presterò <u>a Luigi</u> <u>il mio motorino</u>.	*(gli+lo)* ⇨	**Glielo** presterò.
Chiederò <u>a Elena</u> <u>gli appunti</u>.	*(le+li)* ⇨	**Glieli** chiederò.
<u>Ci</u> puoi raccontare <u>la trama</u> del film?	*(ci+la)* ⇨	**Ce la** puoi raccontare?
<u>Vi</u> consiglio <u>il tiramisù</u>.	*(vi+lo)* ⇨	.... consiglio.
<u>A Gianni e Luca</u> regalerò <u>questi libri</u>.	*(gli+li)* ⇨	**Glieli** regalerò.
Professore, <u>Le</u> faccio vedere <u>le foto</u>?	*(Le+le)* ⇨	**Gliele** faccio vedere?
<u>Mi</u> puoi parlare <u>dei tuoi progetti</u>?	*(mi+ne)* ⇨	**Me ne** puoi parlare?
<u>Gli</u> darò due copie <u>del libro</u>.	*(gli+ne)* ⇨	**Gliene** darò due copie.

Nota: Come vedete i pronomi indiretti alla terza persona (*gli/le/Le*) si uniscono al pronome diretto
e, con l'aggiunta di una *-e-*, formano con esso una sola parola (*glielo, gliela, glieli, gliele*).

8 Rispondete alle domande secondo l'esempio.

> Mi dai il tuo numero di telefono? ⇨ *Sì, te lo do subito.*

1. Oggi mi offri tu il caffè, va bene?
2. Per favore, dai tu questa lettera a Luca?
3. Quando ci presenterai i tuoi amici?
4. Davvero? Regalerai a Sara un anello d'oro?
5. Quante copie degli appunti ti servono?
6. Quando mi fai vedere la tua nuova casa?

 1 - 7

B   **Scusami!**

1   Ascoltate i mini dialoghi e abbinateli ai disegni. Attenzione, ci sono due immagini in più!

2   Ascoltate di nuovo e completate la tabella che segue.

Scusarsi	Rispondere alle scuse
.... del ritardo!	...........................!
Chiedo ....!	...........................!
..........................., signora! (formale)	...........................!
Mi scuso del comportamento...!	Non fa niente!
Scusa il ritardo!	Si figuri! (formale)
Ti / Le chiedo scusa!	Ma che dici!

 3   Sei A: scusati con B nelle seguenti situazioni: Sei B: rispondi ad A.

- sull'autobus gli/le calpesti un piede
- hai dimenticato il suo compleanno
- hai perso un libro che ti aveva prestato
- gli/le dai un'informazione sbagliata
- camminando distratto per strada gli/le vai addosso

 8

4 Leggete il dialogo tra Lorenzo e la professoressa durante l'esame di letteratura italiana e indicate le affermazioni corrette.

Prof.ssa Levi: Allora, signor Baretti, questa è la seconda volta che sostiene l'esame, vero?

Lorenzo: Sì.

Prof.ssa Levi: D'accordo... Questa volta sono sicura che andrà meglio. Dunque... poeti minori dell'Ottocento...

Lorenzo: Eeeh..., professoressa, mi scusi, ma questo capitolo io non l'ho studiato affatto!

Prof.ssa Levi: Ma come non l'ha studiato? Ne abbiamo parlato più volte.

Lorenzo: Davvero?! Non me l'ha detto nessuno!

Prof.ssa Levi: Ma secondo Lei, chi glielo avrebbe dovuto dire, signor Baretti?! Durante le lezioni Lei dov'era? ...Andiamo avanti: ...Giovanni Verga.

Lorenzo: Verga... certo... Verga è uno scrittore che... mmh...

Prof.ssa Levi: Verga è uno scrittore, questo è sicuro! Ora mi dirà che nessuno Le ha detto che Verga era nel programma!

Lorenzo: Ma... professoressa, veramente, nessuno me li ha fatti notare questi capitoli!

Prof.ssa Levi: Nessuno glieli ha fatti notare?! Signor Baretti, forse è meglio che ci vediamo quando sarà più preparato... o meglio più informato!

Lorenzo: Va bene... Buongiorno e grazie!

Prof.ssa Levi: ArrivederLa!

1. Lorenzo non ha potuto rispondere alle domande perché:

- a. erano veramente difficili
- b. nessuno gliene aveva parlato
- c. non le ha capite

2. La professoressa Levi ha mandato via Lorenzo perché:

- a. non frequentava le sue lezioni
- b. non aveva studiato
- c. ha tentato di copiare

3. Lorenzo non sapeva parlare di Giovanni Verga perché:

- a. non era nel programma
- b. non è uno scrittore importante
- c. nessuno gliel'aveva fatto notare

5 Osservate queste frasi del dialogo e, in particolare, i participi passati. Che cosa notate?

...non me l'ha detto nessuno   *...nessuno me li ha fatti notare questi capitoli.*

6 Completate la tabella.

> ## I pronomi combinati nei tempi composti
>
> -Chi l'ha detto a Flora?
> -**Gliel'ha** detto suo fratello.
>
> -Chi vi ha regalato questa cornice?
> -**Ce l'ha** regalat.... mio cugino.
>
> -Quanti libri gli hai prestato?
> -**Gliene ho** prestat**i** tre.
>
> -Quando ti hanno portato questi dolci?
> -**Me li hanno** portat.... ieri.
>
> -Gianni ti ha presentato le sue amiche?
> -Sì, **me le ha** presentate tempo fa.
>
> -Quante e-mail ti hanno spedito?
> -**Me ne hanno** spedite parecchie.
>
> Come vedete, il participio passato concorda con il pronome diretto che lo precede
> anche quando fa parte di un pronome combinato.

7 Rispondete alle domande.

1. Quanti francobolli ti sono serviti? *(tre)*
2. Chi ha dato il permesso al piccolo? *(io)*
3. Chi ha dato la macchina a Tommaso? *(suo padre)*
4. Quando ti ha restituito i soldi che ti doveva? *(stamattina)*
5. Vi hanno portato le sedie che avevate ordinato? *(solo due)*

C Incredibile!

1 Ascoltate il dialogo. Secondo voi, qual è la notizia più importante?

- Finalmente a casa dopo un mese a New York! Allora, sorellina,
  cos'è successo nella nostra piccola città?
- Vediamo... ah, Marianna si sposa.
- Davvero?! Credevo che non si sarebbe sposata
  mai. Poi?
- Eh... Riccardo ha comprato una *Ferrari*!
- Possibile?! Ma dove cavolo li trova i soldi? Altro?
- Sì... Marco e Raffaella si sono lasciati!
- Incredibile! Ma chi l'avrebbe mai detto?
- E non solo: lei si è messa con Alberto.
- Non ci credo! Ma guarda quante notizie.
- Cos'altro? ...Ah, zia Maria ha vinto al totocalcio!
- Ma va! Domani le farò visita!
- Ah, un'ultima cosa: il tuo ex si è fidanzato!
- Non me lo dire! Va be', tanto ormai non me ne
  frega più niente!
- Vedi quante novità nella nostra piccola città?
- Ma quale piccola? Qua è peggio di New York!!!

2 Cercate di ricordare quali di queste espressioni avete ascoltato e letto!

sorpresa

incredulità

Davvero?!   *Ma va!*

Scherzi?!   *Chi l'avrebbe mai detto?*

Caspita!   *Possibile?!*

Non ci credo!   *Incredibile!*

Non me lo dire!   *No!*

Non è vero!   *Impossibile!*

3 *Role-play*   **Sei *A*: riferisci a *B* le notizie che seguono. Dove necessario puoi usare espressioni come "hai sentito che...?", "lo sai che...?", "hai saputo che...?" ecc.**

Sei *B*: reagisci alle notizie che ti riporta *A*.

- *la vostra squadra ha perso di nuovo*
- *una vostra conoscente ha avuto un incidente*
- *un'amica si è finalmente laureata*
- *i professori faranno sciopero*
- *la vostra cantante preferita ha annullato il concerto nella vostra città*

Ancora una vittoria per la squadra torinese!
Juventus-Parma 2-0

Scuola: scioperi in vista
Esami a rischio!

13

4 Provate a scrivere due mini dialoghi *(50-60 parole)* usando le espressioni del punto 2.

D Quante domande!

1 Ascoltate le domande. Potete pensare a possibili risposte?

- *Chi* sono quei tipi che ci guardano?

chi?   - Di *chi* è questa penna?

- *Chi* è quella ragazza?

- *Quali* città vorresti visitare?

- Tra queste camicie *quale* preferisci?

quale?   *quali?*

- *Qual* è la verità?

- *Che cosa* facciamo oggi?

che?
che cosa?
cosa?

- *Che* giorno è oggi?

- *Cosa* prendi?

- Di *che cosa* ti occupi?

- *Quante* persone c'erano?

- *Quanto* ti è costato?

quanto?

- *Quanti* anni ha?

2 Completate le domande con gli interrogativi del punto precedente.

1. .... hai regalato a tuo fratello?
2. Per .... motivo impari l'italiano?
3. .... era al telefono?
4. Da .... dipende se vieni o no?
5. .... è stato il momento più importante della tua vita?
6. Da .... tempo studi l'italiano?

14 - 16

3 A coppie discutete di un esame/periodo della scuola che è stato particolarmente significativo. Poi riferite alla classe se le vostre esperienze sono state simili o diverse.

4 Un'esperienza comune per molti italiani sono gli "esami di maturità": un periodo importante perché coincide con la fine della scuola. Completate i brevi testi, il ricordo che hanno dell'esame quattro noti personaggi, con le forme corrette dei verbi tra parentesi.

"Ho fatto tre volte la terza superiore"

SILVIO MUCCINO (attore)

Ho preso 80. Non (1. studiare) .... ma sono stato molto fortunato all'orale!!! Ho fatto una tesina video un po' commovente e li (2. convincere) .... tutti. Il ricordo che (3. avere) ....? È stato un incubo, me lo (4. sognare) .... ancora la notte. Per quanto riguarda la preparazione, che dire... (5. essere) .... un mese terribile.

VALERIO MASTANDREA (attore)

Non ricordo molto degli esami, (6. passare) .... troppi anni, ma ricordo che ho consegnato il compito di matematica in bianco. Un mio compagno mi (7. passare) .... le soluzioni, ma io non (8. volere) .... copiare perché tanto era inutile. Quando si è sposato, ho fatto incorniciare il foglietto che mi (9. passare) .... e quello è stato il mio regalo di nozze.

LINUS (d.j.)

Io ho fatto tre volte la terza superiore, perché in quegli anni cominciavo a lavorare alla radio e quindi (10. essere) .... uno studente molto distratto. Comunque quando ho fatto gli esami di maturità ero più distaccato rispetto ai miei compagni. In pratica (11. limitarsi) .... a studiare quello che (12. pensare) .... mi avrebbero chiesto. A tutti i ragazzi auguro comunque di rendersi conto che dall'esame non (13. dipendere) .... la loro vita.

CARLO LUCARELLI (scrittore)

Ricordo che c'era una specie di terrorismo nell'aria durante gli esami di maturità: ti convincevano che (14. dovere) .... sapere tutto e che comunque ti (15. chiedere) .... ciò che non sapevi. (16. passare) .... l'ultimo mese e mezzo a studiare e basta. Alla fine ero davvero terrorizzato ma non (17. avere) .... con me nessun portafortuna, non come un mio amico che ha deciso di indossare la camicia con cui (18. sostenere) .... l'esame di terza media!

adattato da *Panorama*

5 Rispondete alle domande.

1. Quante volte ha sostenuto gli esami Linus?
2. Quanto tempo ha studiato per la maturità Silvio Muccino?
3. Che cosa ha regalato Valerio Mastandrea al suo vecchio compagno di scuola per il suo matrimonio?
4. Perché Carlo Lucarelli aveva paura degli esami?

 6 Ancora domande! In coppia, scegliete l'interrogativo giusto tra quelli dati.

1. Io l'ho vista ieri mattina, tu *quando* / *quanto* l'hai sentita?
2. Di *dove* / *quando* è Mauro?
3. Ma *perché* / *quanto* siete partiti di nascosto?
4. *Dove* / *Quando* pensi di venire?
5. Sai *dove* / *perché* sono i miei occhiali?

7 Completate le domande con tutti gli interrogativi visti in questa unità.

1. .... volte ci siete andati?
2. Tu .... l'hai saputo?
3. Amore, dimmi: .... hai nascosto i dolci?
4. Ma .... avete discusso per tre ore?
5. Non è vero, ... te l'ha detto?
6. Per .... motivo non hai accettato?

E Vocabolario e abilità

1 Completate le frasi con queste parole: dipartimento, iscrizione, frequenza, prove, esami di ammissione, mensa

1. In alcune facoltà la .... è obbligatoria.
2. In Italia l'ingresso in molte università è libero: non sono previsti ....
3. Nella Facoltà di Lettere e Filosofia c'è il .... di Italianistica.
4. Gli esami spesso comprendono sia .... scritte che orali.
5. Anche alle università statali bisogna pagare delle tasse di ....
6. Gli studenti mangiano spesso alla ....

2   In quale facoltà bisogna laurearsi per diventare...? In coppia, prima completate le professioni e poi abbinatele, come nell'esempio, alle facoltà. Attenzione: queste ultime sono di più!

Medicina ..6..

Odontoiatria .....

Ingegneria .....

Giurisprudenza .....

Architettura .....

Psicologia .....

Lingue .....

Lettere .....

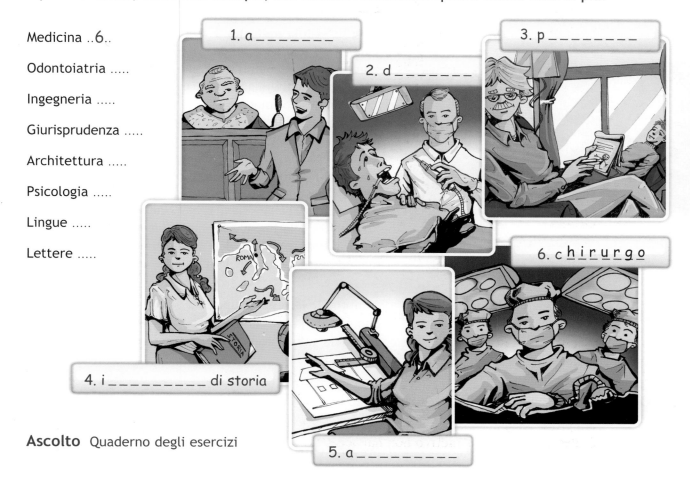

1. a _ _ _ _ _ _ _

2. d _ _ _ _ _ _ _

3. p _ _ _ _ _ _ _

4. i _ _ _ _ _ _ _ di storia

5. a _ _ _ _ _ _ _

6. c h i r u r g o

3   **Ascolto**   Quaderno degli esercizi

4   **Situazioni**

1. *A* è uno studente interessato a una vacanza-studio in Italia: a pagina 194 troverà alcune possibili domande da fare; *B* lavora nella segreteria di un'organizzazione che si occupa di questo e a pagina 196 troverà materiale informativo per rispondere ad *A*.

2. Pensi di andare a studiare in un'altra città poiché lì la facoltà che hai scelto è considerata una delle migliori. Il problema è che il/la tuo/a ragazzo/a (*B*) non ne vuole sapere. Tu (*A*) cerchi di spiegargli/le che non si deve preoccupare e che la distanza non mette a rischio la vostra relazione.

5   **Scriviamo**

Scrivi una lettera ad un amico italiano per annunciargli la tua intenzione di andare a studiare a Milano spiegandogli i motivi: alto livello della facoltà scelta, amore per l'Italia e così via. In più, chiedi informazioni sulla vita studentesca in Italia. *(80-120 parole)*

Test finale

La scuola...

I genitori italiani possono portare i loro figli all'**asilo nido** e poi, a 3 anni, alla **scuola materna**. L'iscrizione non è obbligatoria.

La *scuola dell'obbligo*, comincia a 6 anni con la **scuola elementare** che dura 5 anni: i bambini imparano a leggere e a scrivere, apprendono nozioni di cultura generale e cominciano a studiare una lingua straniera (inglese o francese).

I guai*... cominciano con la **scuola media**. Ormai non ci sono più maestri, ma un insegnante per ogni materia. Alla fine del terzo anno, dopo un esame, gli alunni ottengono la *licenza media*.

Chi decide di continuare gli studi può scegliere tra diversi tipi di **scuola media superiore**: *liceo classico, scientifico, linguistico, artistico, istituti tecnici* e *scuole professionali*. La durata degli studi è di 4 o 5 anni e alla fine c'è l'*esame di maturità* che prevede prove scritte e orali sulle materie dell'ultimo anno. Chi le supera (la quasi totalità degli studenti) ottiene il *diploma di maturità*.

1. La scuola dell'obbligo:

☐ a. comprende la scuola superiore
☐ b. comprende la scuola materna
☐ c. comincia subito dopo la scuola materna
☐ d. dura 5 anni

2. La scuola media:

☐ a. dura quanto quella elementare
☐ b. dura quanto quella superiore
☐ c. prevede un esame alla fine dell'ultimo anno
☐ d. prevede videolezioni di lingue straniere

3. La scuola superiore:

☐ a. non è soltanto di un tipo
☐ b. dura 3 anni
☐ c. rende gli studenti più maturi
☐ d. prevede un esame orale finale

...e l'università italiana

Tutti gli studenti, in possesso di diploma di scuola superiore, possono iscriversi a una facoltà di loro scelta, senza esami di ammissione. Per le facoltà a numero chiuso, invece, come ad esempio Odontoiatria e Medicina, è obbligatorio il superamento di una prova scritta.

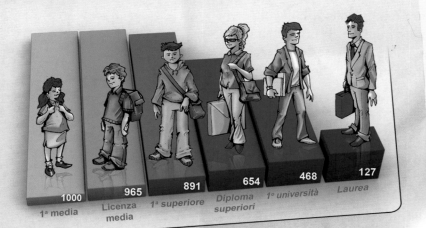

1ª media	Licenza media	1ª superiore	Diploma superiori	1° università	Laurea
1000	965	891	654	468	127

CHI STUDIA MENO STUDIA MEGLIO

Durata media degli studi universitari nella Ue

Non sempre chi frequenta di più ottiene risultati migliori. Anzi, secondo i dati forniti da Eurostat i paesi nei quali gli studenti passano più tempo negli atenei sono anche quelli nei quali la qualità dello studio è inferiore. La causa è l'organizzazione più carente che si traduce in una perdita di tempo per gli studenti.

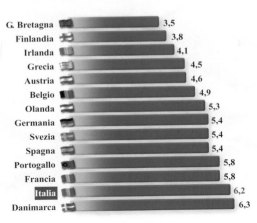

Paese	Durata
G. Bretagna	3,5
Finlandia	3,8
Irlanda	4,1
Grecia	4,5
Austria	4,6
Belgio	4,9
Olanda	5,3
Germania	5,4
Svezia	5,4
Spagna	5,4
Portogallo	5,8
Francia	5,8
Italia	6,2
Danimarca	6,3

Il libero accesso* agli studi universitari, comunque, crea anche dei problemi: università spesso sovraffollate* e bassa percentuale di laureati (circa il 30%). Ciò significa che molti sono gli studenti iscritti che non riescono a laurearsi e molti sono i cosiddetti "fuori corso", gli studenti cioè che presentano con ritardo la loro *tesi di laurea**. D'altra parte, l'Università italiana, nonostante l'alto livello di preparazione che offre, è un po' staccata dal mondo del lavoro; così anche con una laurea in mano non è facile trovare un'occupazione.

La durata di un corso di laurea varia dai 3 ai 6 anni, a seconda della facoltà. Negli ultimi anni, tuttavia, esiste anche la cosiddetta *laurea breve*, un diploma universitario che si può ottenere in 3 anni, ed è richiesto in specifiche aree professionali. Dopo la laurea esistono *corsi di specializzazione** e *dottorati di ricerca** di alto livello.

La maggior parte delle università italiane sono statali. Gli studenti devono, comunque, pagare le *tasse** *d'iscrizione* all'inizio di ogni anno accademico, che variano a seconda dell'università e della facoltà. Esistono, inoltre, poche università private, Politecnici, Istituti universitari e le Università per Stranieri di Perugia, di Siena e di Reggio Calabria.

1. Quali sono i vantaggi e gli svantaggi delle università italiane?

2. Ci sono differenze tra il sistema universitario italiano e quello del vostro paese? Parlatene in breve.

L'Università di Bologna è la più antica del mondo. Molte università italiane hanno sede in bellissimi e maestosi palazzi, costruiti cinque o più secoli fa.

Glossario: <u>guaio</u>: difficoltà; <u>accesso</u>: ingresso, entrata; <u>sovraffollato</u>: quando in un luogo c'è troppa gente; <u>tesi di laurea</u>: lavoro scritto su un argomento che lo studente presenta e discute all'esame di laurea; <u>corso di specializzazione</u>: ulteriore periodo di studio e lezioni che permette di ottenere un titolo professionale specifico dopo la laurea; <u>dottorato di ricerca</u>: ulteriore periodo di studi e ricerche, in ambito universitario, dopo la laurea.

Attività online

Autovalutazione
Che cosa ricordate dell'unità 1?

1. Abbinate le frasi.

1. Me lo riporti domani, no?
2. Che classe fai?
3. Scusa, la colpa è tutta mia.
4. Me l'ha detto lui!

a. La seconda superiore.
b. Sì, non ti preoccupare!
c. Incredibile!
d. Non fa niente!

2. Sapete...? Abbinate le due colonne.

1. rispondere a delle scuse
2. esprimere sorpresa
3. esprimere incredulità
4. esprimere dispiacere

a. Non è vero!
b. Peccato!
c. Figurati!
d. Ma va!

3. Rispondete o completate.

1. Un tipo di liceo: ....
2. A che età comincia la scuola elementare? ....
3. Tre interrogativi: ....
4. Le + li: ....

4. Scoprite, in orizzontale e in verticale, le otto parole relative alla scuola e all'università.

T	R	O	L	A	S	M	I	W	A
S	C	A	P	I	T	O	L	O	L
U	C	A	M	M	E	N	S	A	U
D	L	M	A	E	S	T	R	A	N
I	E	B	T	L	O	E	G	T	N
E	T	H	E	A	C	O	R	S	O
Y	T	I	R	M	Y	M	A	N	I
I	E	S	I	E	S	A	F	B	R
U	R	M	A	T	I	S	T	O	A
R	E	L	I	N	G	U	E	E	Z

Verificate le vostre risposte a pagina 203. Siete soddisfatti?

Piazza Grande, Arezzo

Per cominciare...

1 Lavorate in coppia. Abbinate le parole alle foto.

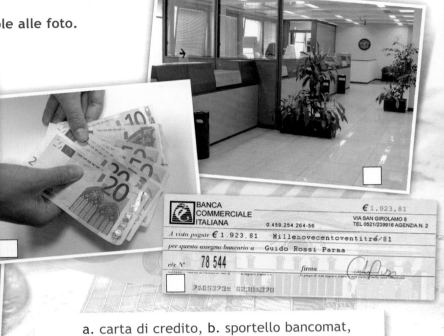

a. carta di credito, b. sportello bancomat,

c. contanti, d. sportello, e. assegno

2 Che rapporto avete con i soldi? In genere, riuscite a risparmiare?

3 Ascoltate il dialogo e indicate le affermazioni giuste.

1. Carla ha voluto aprire un conto corrente
   a. perché è obbligatorio per gli studenti
   b. per poter ricevere soldi dai suoi
   c. anche se non ne aveva bisogno

2. Chi apre questo conto corrente
   a. ha uno sconto in alcuni negozi
   b. riceve cd e libri in regalo
   c. deve fare la fila

In questa unità...

1. ...impariamo diversi modi di formulare una domanda, a scrivere una lettera formale, a rispondere ad un annuncio di lavoro, a scrivere un Curriculum Vitae;
2. ...conosciamo i pronomi relativi, i costrutti particolari di che e cui, *le forme* stare + gerundio *e* stare per + infinito;
3. ...troviamo alcune informazioni sull'economia italiana e sul made in Italy.

A Proprio il conto che mi serviva!

1 Ascoltate di nuovo e verificate le vostre risposte all'attività precedente.

Carla: Ciao, Stefano. Guarda!

Stefano: Oh, ciao. Cos'è?

Carla: Il mio bancomat! Ricordi, quel conto corrente di cui ti parlavo? L'ho finalmente aperto!

Stefano: Ah sì, brava! ...Ma io non ho ancora capito a cosa ti serve un conto, se fra sei mesi andrai via.

Carla: Te l'ho detto, così i miei mi possono mandare i soldi più facilmente... e poi è anche più sicuro tenere i soldi in banca, no?

Stefano: Eh sì, hai ragione. È per questo che sei così contenta?

Carla: Sono contenta perché credo di aver fatto la scelta giusta... almeno l'impiegata con cui ho parlato mi ha convinta. È un nuovo conto corrente bancario pensato apposta per gli studenti, ai quali offre molti vantaggi.

Stefano: Tipo?

Carla: Prima di tutto mi hanno dato questo bancomat con il quale posso evitare le file in banca e fare operazioni per telefono e via Internet. E poi potrò usarlo anche come carta di credito in molti negozi e avrò sconti su libri, cd e anche vestiti!

Stefano: Ah, ecco la ragione principale per cui hai aperto questo conto: lo shopping!

Carla: Spiritoso! Al contrario, l'ho fatto proprio per usare i miei soldi in maniera più intelligente. E dovresti farlo anche tu!

Stefano: Io?! No, cara! E il motivo è che ho già un conto in rosso e una carta di credito che uso troppo!

2   Leggete il dialogo, da soli o in coppia, e mettete in ordine cronologico le affermazioni che seguono.

☐ Carla va in banca.

☐ Carla spiega a Stefano i vantaggi del conto che ha aperto.

☐ Carla apre un conto corrente.

☐ Carla mostra a Stefano il suo bancomat.

☐ L'impiegata dà informazioni a Carla.

☐ Carla dice a Stefano che vuole aprire un conto corrente.

3   Completate il dialogo tra Carla e l'impiegata di banca, scegliendo il pronome corretto.

imp.:   Ha detto che si trova in Italia per un corso di lingua, vero?

Carla: Sì, e il motivo per cui/a cui mi serve un conto è che i miei mi mandano soldi dall'estero. Se non sbaglio, c'è un conto per studenti il quale/di cui ho sentito parlare.

imp.:   Sì, infatti, ce n'è uno la quale/che presenta dei vantaggi per chi studia: prima di tutto ha un tasso d'interesse che/a cui è più alto del solito; secondo, diamo un bancomat con il quale/con la quale può prelevare da un qualsiasi sportello automatico e fare altre operazioni da casa.

Carla: Via internet?

imp.:   Appunto, ma anche per telefono. Infine, il bancomat funziona anche come carta di credito e offre il 10% di sconto sugli acquisti fatti.

Carla: Ah, perfetto! Gli sconti sono una cosa con cui/di cui noi studenti abbiamo davvero bisogno!

4   Rispondete per iscritto *(15-20 parole)* alle domande.

1. Per quali motivi Carla è contenta di aver aperto questo conto corrente? ....

....

2. Qual è, secondo voi, il vantaggio più grande che offre? ....

....

3. Perché a Stefano non interessa aprire un conto corrente? ....

....

5 Lavorate in coppia. Osservate la tabella. C'è qualche differenza tra le prime due frasi (1-2) e le ultime due (3-4)?

Il pronome relativo *che*

> 1. Il signore **che** parla in tv è un mio professore.
> 2. Conosci quei ragazzi **che** sono seduti sulle scale?
> 3. Il libro **che** sto leggendo è molto interessante.
> 4. Le scarpe **che** vorrei comprare sono troppo care.

Come potete notare il pronome relativo *che* è indeclinabile e si riferisce al soggetto (esempi n. 1 e 2) oppure all'oggetto (esempi n. 3 e 4).

> Nella frase "Ho incontrato la ragazza di Michele *che* lavora in banca" il pronome relativo *che* potrebbe riferirsi a Michele o alla sua ragazza. In questi casi si usa soprattutto il pronome *il quale* per evitare equivoci:
> "Ho incontrato la ragazza di Michele, *la quale* lavora in banca".

Attenzione: *Questi ragazzi **li** ho incontra**ti** ieri.*
ma: *Questi sono i ragazzi **che** ho incontra**to** ieri.*

6 Costruite frasi orali secondo l'esempio.

> Luca ha un fratello; si chiama Mauro. (*Luca...*)
> *Luca ha un fratello che si chiama Mauro.*

1. Ho visto un film ieri; il film mi è piaciuto molto. *(Il...)*
2. Ho scoperto una trattoria; la trattoria è veramente buona. *(La...)*
3. Mario mi ha regalato un libro; avevo già letto il libro! *(Mario...)*
4. Penso di comprare una casa; la casa è proprio in centro. *(La...)*
5. Ho mangiato un panino; il panino non era buono. *(Ho...)*

 1 - 3

7 Nel dialogo introduttivo abbiamo visto frasi come "quel conto corrente *di cui* ti parlavo", "l'impiegata *con cui* ho parlato", "questo bancomat *con il quale*". A coppie osservate le frasi che seguono: secondo voi, che differenza c'è tra *cui* e *che*?

I pronomi relativi *cui / il (la) quale*

Sono uscita *con* Luigi.	⇨ L'uomo **con cui** sono uscita è Luigi.
Penso spesso *a* mia madre.	⇨ La persona **a cui** penso spesso è mia madre.
Non sono venuta *per* motivi seri.	⇨ I motivi **per cui** non sono venuta erano seri.
Tra gli invitati c'era anche Marcella.	⇨ C'erano tanti invitati, **tra cui** anche Marcella.
Mi parla spesso *di* una ragazza, Rosa.	⇨ Rosa è la ragazza **di cui** mi parla spesso.

Di più sul pronome *cui* in Appendice a pagina 183.

8   Come abbiamo visto, al contrario di *che*, il pronome relativo *cui* è sempre preceduto da una preposizione semplice. Anche *cui* può essere sostituito da *il quale*, accompagnato dalla preposizione articolata. Completate le frasi.

Il ragazzo **con cui** esci è simpatico.	⇨	...**con il quale** esci...
La ragazza **di cui** parli si chiama Cinzia?	⇨	.... parli...
Chi sono i ragazzi **a cui** hai dato il tuo numero?	⇨	...**ai quali** hai dato...
Le ragioni **per cui** ci vado sono due.	⇨	.... ci vado...

9   In base agli esempi visti, formate frasi orali secondo il modello.

> Ho molta fiducia <u>in</u> Roberto. *(Roberto è un ragazzo...)*
> *Roberto è un ragazzo in cui / nel quale ho molta fiducia.*

1. Sono nato <u>in</u> una città grande, ma caotica. *(La città...)*
2. Ho prestato dei soldi <u>a</u> un caro amico. *(Il ragazzo...)*
3. Mi preoccupo molto <u>di</u> questo fatto. *(È un fatto...)*
4. <u>Con</u> Gianni e Mario esco molto spesso. *(Gianni e Mario sono gli amici...)*
5. Stasera viene anche Mauro; ti ho parlato spesso <u>di</u> lui. *(Stasera viene anche...)*

B   Perché...?

1   Le frasi dei 4 mini dialoghi sono in disordine. Potete abbinare le domande (a-e) alle risposte (1-4)? Di domande ce n'è una in più!

a. Non mi puoi restituire i soldi che ti ho prestato?! E perché no?
b. Per curiosità, per quale motivo hai pagato in contanti?
c. Dimmi una cosa, perché le hai parlato così?
d. Perché mai hai deciso di prendere un altro mutuo?
e. Come mai non hai pagato con la carta di credito?

.... - 1	.... - 2	.... - 3	.... - 4

1. Perché altrimenti non avrei mai finito di costruire la casa.
2. Niente, ...semplicemente in questo periodo sono al verde!
3. Perché non avevo con me la carta di credito.
4. Il fatto è che l'ho già usata troppo questo mese.

2   Ascoltate i mini dialoghi per confermare le vostre risposte e sottolineate le espressioni utilizzate per rivolgere una domanda.

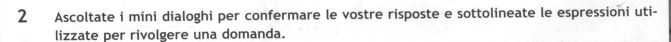

3 Sei *A*: prima annuncia a *B* quanto segue e poi rispondi alle sue domande:

- *hai deciso di aprire una pizzeria*
- *hai deciso di lasciare il tuo lavoro*
- *ti sei lasciato con la tua fidanzata*
- *hai deciso di non usare più carte di credito*
- *hai bisogno di soldi*

Sei *B*: ascolta quello che ti dice *A* e poi chiedi delle
spiegazioni.

C   Egregio direttore...

1 Secondo voi, quali sono, le differenze tra una lettera amichevole e una formale?

2 Leggete questa lettera e indicate quali delle affermazioni sulla destra sono veramente presenti.

Spettabile Istituto Linguistico "I. Calvino"
Alla cortese attenzione del Direttore

                    Roma, 6 settembre 20

Egregio Direttore,

in risposta all'annuncio apparso sul vostro sito
internet, desidero sottoporre alla Sua attenzione la mia candidatura al posto di insegnante di
lingua italiana.
Come vedrà nel mio curriculum vitae allegato,
sono laureata in Lingue e ho maturato
un'esperienza didattica di 5 anni in Italia e
all'estero, insegnando soprattutto ad adolescenti e adulti.
Credo di essere una persona responsabile e
adatta alle esigenze di una scuola prestigiosa
come la vostra.
In attesa di una Sua cortese risposta, resto a
Sua disposizione per un eventuale colloquio.

Distinti saluti,
Marisa Grandi

1. L'annuncio è apparso sul sito della scuola.

2. Chi scrive è insegnante.

3. Ha lavorato anche nella reda-zione di una rivista.

4. Questa è la seconda volta che scrive all'Istituto.

5. Insieme alla lettera, ha inviato anche il suo C.V.

6. Attualmente non vive in Italia.

7. Fa riferimento alle qualità per-sonali, oltre che professionali.

8. Ha già lavorato con studenti adolescenti.

9. Conosce personalmente il di-rettore dell'Istituto.

10. L'Istituto "I. Calvino" offre corsi in diverse lingue.

3 Quella appena vista è una lettera formale. Quali parole o espressioni presenti in essa non
trovereste in una lettera amichevole? Sottolineatele.

4   Adesso tocca a voi. Immaginate di voler inviare ad un'azienda il vostro C.V. accompagnato da una lettera di presentazione *(80-100 parole)*. Scegliete voi il campo in cui l'azienda opera (abbigliamento, editoria, banche, turismo, automobili, arredamento ecc.) e il posto che vorreste ricoprire al suo interno (segretaria, responsabile vendite, insegnante, ...).

---

lettere/e-mail formali

Formule di apertura	Formule di chiusura
Egregio Signore/Dottore/Direttore	*(Porgo) Cordiali/Distinti saluti*
Gentile/Gentilissima Signora	*La saluto cordialmente*
Gentili Signori/Signore	*Con stima*
Spettabile Ditta	*In fede*

---

5   Osservate le frasi che seguono: che differenza c'è nell'uso di *chi* nelle due colonne?

Chi scrive?   *Chi scrive è un'insegnante...*
Con chi sei uscito ieri?   *Chi parla troppo non sa ascoltare.*

Esatto: *chi* non è solo un pronome interrogativo, ma anche relativo e significa *la persona che*. Lo incontriamo spesso nei proverbi.

6   Abbinate in modo da ricostruire alcuni noti proverbi italiani. Lavorate in coppia.

1. Chi tardi arriva...   2. Chi dorme...   3. Chi trova un amico...

4. Chi va piano...   5. Chi cerca...   6. Chi fa da sé...

a. ...non piglia pesci   b. ...va sano e va lontano   c. ...fa per tre
d. ...male alloggia   e. ...trova un tesoro   f. ...trova

⮞12

D   In bocca al lupo!

1   **Prima di leggere il brano, osservate queste parole: conoscete il significato di tutte?**

colloquio   candidato   concorso   annuncio   posto   deluso

2   **Ricostruite il dialogo scrivendo il numero d'ordine giusto accanto a ciascuna battuta.**

1 *Milena:*   Allora, come va la tua ricerca di un nuovo lavoro?

Gennaro: Nel senso che fai la domanda, studi mesi e mesi e poi quando vai a fare il concorso trovi migliaia di candidati per pochi posti! Il che, scusa, non mi sembra molto incoraggiante.

Milena: In bocca al lupo, allora!

Gennaro: Ancora niente… avrò mandato cento curriculum e sai quanti colloqui ho fatto? Solo tre! Senza risultato…

Milena: Ah, mi dispiace! Ma hai provato a partecipare a un concorso pubblico?

Gennaro: Sì, va be', è giusto quello che dici, però io preferisco continuare a cercare sugli annunci di lavoro…

Milena: Sì, magari hai ragione, ma se non ci provi neppure…

Milena: In che senso delusi?

Gennaro: Perché tu credi ancora nei concorsi? Secondo me, molti di quelli che ci provano rimangono delusi!

10 *Gennaro:*   Crepi!

3   **Nel dialogo abbiamo visto: "è giusto quello che dici". Osservate:**

forma corretta	forma sbagliata
coloro che (le persone che) credono	~~loro che~~ credono
tutti quelli che	~~tutti che~~
quello che (ciò che) dici	~~questo che~~ dici

Ricordate la frase di Gennaro *Il che, scusa, non mi sembra molto incoraggiante*? **Osservate:**

Non ha chiamato; questo significa che non verrà.
Non ha chiamato, **il che** significa che non verrà.

4 Lavorate in coppia e scrivete sul vostro quaderno una frase per ciascuna delle forme viste al punto 3.

➦13

E   Curriculum Vitae

1 Avete mai sostenuto un colloquio di lavoro? Quali sono, secondo voi, le domande più frequenti? In coppia, fate una lista e confrontatela con i compagni.

2 Adesso ascoltate uno dei pochi colloqui che ha fatto Gennaro. Ci sono domande che non avevate previsto?

3 Ascoltate di nuovo e completate il curriculum vitae di Gennaro.

CURRICULUM VITAE

INFORMAZIONI PERSONALI
Nome: Gennaro Mossini
Data e luogo di nascita: 18 maggio 1979, (1)...........................
Stato civile: celibe
Indirizzo: Via G. Bruno 156, Firenze
Telefono: 338.112233
E-mail: genmos@tiscali.it
Nazionalità: italiana

ISTRUZIONE E FORMAZIONE

TITOLI DI STUDIO
1998: Diploma di Maturità Scientifica (voto: 90/100) ottenuto presso il Liceo "T. Tasso" di Pisa.

A.A. 2005-2006. Università degli studi di (2)....................... Laurea in Economia e Commercio (votazione (3).........................../110)
A.A. 2003-2004 Borsa di (4)......................... - Statson University, Londra

CONOSCENZA DELLE LINGUE
Inglese: (5)......................... comprensione e produzione scritta e orale.
(6).........................: buona comprensione scritta e orale, buona produzione scritta e orale.

PRATICA DI SISTEMI INFORMATICI
Buona conoscenza del sistema operativo WINDOWS. Buona conoscenza dei programmi Office, ottima di Word ed Excel. In possesso del Certificato (7)......................... ECDL.

ESPERIENZA LAVORATIVA
(8)......................... vendite presso la *Soft Systems* di Firenze (2 anni).

INTERESSI PERSONALI
Libri, viaggi, internet

4 Rispondete alle domande.

1. Che problema ha avuto Gennaro durante l'università?

2. Come sono andate le cose per lui in Inghilterra?

3. Che lavoro ha fatto prima di presentarsi a questo colloquio? Perché è andato via da quell'azienda?

4. Secondo voi com'è andato il colloquio? Scambiatevi idee.

5   In coppia completate gli annunci con le parole date sotto. Secondo voi, quale annuncio è più adatto al C.V. di Gennaro?

a. **Importante ditta di abbigliamento** con sede a Milano ricerca un addetto alle vendite. Il 1.   ideale è un diplomato con buona conoscenza dei principali pacchetti informatici e della 2.   inglese. Necessaria 3.   simile, preferibilmente in negozio di abbigliamento. Affidabilità e precisione costituiscono 4.   necessari. Dopo un periodo di prova si offre assunzione a tempo indeterminato. Inviare C.V. via fax al numero 02.3300220.

b. **Group Assicurazioni** ricerca per la 5.   di Pescara neolaureato da inserire come responsabile commerciale. ·Requisiti richiesti: età inferiore ai 29 anni, laurea, buona 6.   dei programmi informatici Office, buona conoscenza dell'inglese. Titoli preferenziali: breve esperienza presso 7.   di assicurazione o studi legali; corsi specialistici in ambito commerciale/finanziario. I candidati interessati possono inviare il proprio C.V. tramite il sito internet aziendale alla sezione " 8.   di lavoro".

da Trovolavoro - Corriere della Sera

candidato   lingua   opportunità   requisiti   sede   conoscenza   esperienza   compagnie

6   Scegliete un annuncio del punto 5 e scrivete un C.V. con i requisiti richiesti.

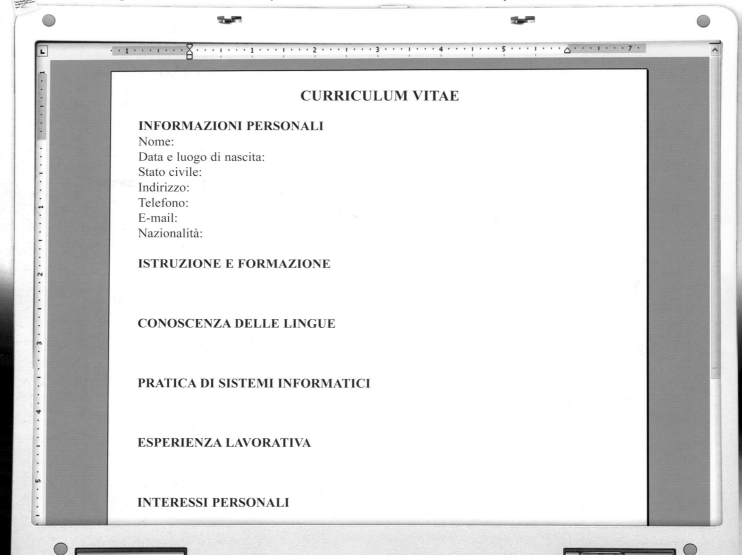

CURRICULUM VITAE

INFORMAZIONI PERSONALI
Nome:
Data e luogo di nascita:
Stato civile:
Indirizzo:
Telefono:
E-mail:
Nazionalità:

ISTRUZIONE E FORMAZIONE

CONOSCENZA DELLE LINGUE

PRATICA DI SISTEMI INFORMATICI

ESPERIENZA LAVORATIVA

INTERESSI PERSONALI

F   Un colloquio di lavoro... in diretta

1   Leggete il titolo dell'articolo che segue e fate delle ipotesi: che cos'è successo, secondo voi?

2   Leggete l'intero testo e indicate le affermazioni corrette.

Imbarazzante equivoco per un giovane negli studi tv di Londra

Alla Bbc per un colloquio di lavoro
Va in diretta scambiato per l'ospite

LONDRA - È entrato cardinale, è uscito Papa e nessuno se n'è accorto, o quasi. È andata un po' così a un ragazzo originario del Congo che si è presentato presso gli studi della Bbc per un colloquio di lavoro e invece, per un equivoco epocale, è finito davanti alle telecamere, in diretta mondiale. Per parlare di qualcosa di cui non sapeva assolutamente nulla.

Guy Goma voleva solo proporsi come tecnico informatico. Però: "È successo tutto così all'improvviso, stavo per allontanarmi dalla reception quando un tipo mi ha detto di seguirlo. Andava così di fretta che per stargli dietro mi sono messo a correre. E correndo correndo siamo arrivati in un camerino dove mi aspettava un truccatore, il che mi è sembrato molto strano!"

Dunque, al trucco, poi dritto nello studio della diretta, davanti alla conduttrice della Bbc. Che senza alcuna incertezza lo ha presentato come Guy Sonders, esperto di economia. Lui, che di economia non ne sa assolutamente niente. "Quando ho capito che ero in diretta, di fronte alle telecamere, che cosa potevo fare? Ho cercato di rispondere alle domande e di stare calmo".

Prima domanda della conduttrice: "Che cosa ne pensa della decisione della Banca Barclays di licenziare 400 dipendenti esperti e di assumere al loro posto giovani neo-laureati?". Risposta, azzeccata lì per lì: "Sono molto sorpreso, questa decisione mi è veramente caduta addosso, non me l'aspettavo".

Nel frattempo, il vero Sonders era arrivato e stava aspettando nella lobby, davanti a un monitor. E si è reso conto che il suo nome compariva sullo schermo sotto il volto di uno sconosciuto, il quale cercava, senza molto successo, di dare risposte coerenti alle domande dell'intervistatrice. A quel punto, l'equivoco si è sciolto. Cos'era successo? L'impiegato mandato ad accogliere l'esperto si era semplicemente recato nella reception sbagliata!

A Goma è andata comunque bene: da disoccupato adesso è una specie di "star per caso" ed è stato invitato a partecipare ad altre trasmissioni televisive. Ma alla fine ha ottenuto il posto di lavoro per il quale si era presentato? La Bbc non l'ha fatto sapere...

da la Repubblica

1. Guy Goma è
- [ ] a. un esperto di economia
- [ ] b. un tecnico
- [ ] c. un impiegato della Bbc
- [ ] d. una star della Bbc

2. Quando ha capito che era in diretta
- [ ] a. è rimasto senza parole
- [ ] b. si è alzato ed è uscito
- [ ] c. ha mantenuto la calma
- [ ] d. ha detto chi era veramente

3. Alla prima domanda ha risposto
- [ ] a. che non ne sapeva nulla
- [ ] b. che si aspettava questa notizia
- [ ] c. di essere d'accordo con il licenziamento
- [ ] d. in modo generico

4. La verità è venuta fuori
- [ ] a. quando il vero Sonders è arrivato negli studi
- [ ] b. mentre il vero Sonders guardava la tv da casa
- [ ] c. perché Goma rispondeva in modo incoerente
- [ ] d. quando la conduttrice ha capito l'equivoco

3 Nell'articolo abbiamo visto le espressioni "*stavo per* allontanarmi dalla reception" (2° para-grafo) e "*stava aspettando* nella lobby" (5° paragrafo): che cosa significano, secondo voi? Osservate:

---

stare + gerundio e *stare per* + infinito

Questi verbi evidenziano un aspetto specifico dell'azione.

a. l'aspetto progressivo di un'azione: **Stavo lavorando** quando Elisa mi ha telefonato. Che **stai facendo***?

b. la prossimità dell'azione: **Sto per** uscire, cosa vuoi? / **Stavo per** cadere.

* Di più sul gerundio nell'unità 11.

---

4 Completate le frasi con: *sta per, sto per, sta cercando, stai facendo*.

1. È un periodo importante questo: .... prendere una decisione difficile.
2. Che ....? Ti va di fare quattro passi?
3. Paola vuole cambiare casa, proprio in questi giorni .... sugli annunci.
4. Chiara ha preso un prestito e .... aprire un negozio tutto suo.

➡14

5 Osservate i disegni e raccontate la storiella.

G   Vocabolario e abilità

1   Lavorate in coppia. Scrivete accanto alle definizioni, tratte da un dizionario italiano, le professioni date. Attenzione: le professioni sono di più!

> segretaria cameriere maestra regista commercialista
> commessa giornalista elettricista cuoco operaio

1. Tecnico che ripara o installa impianti elettrici.

2. Chi per mestiere scrive articoli per i giornali, la radio, la televisione.

3. Donna che insegna nella scuola elementare o in una scuola d'infanzia.

4. Professionista che si occupa dei problemi commerciali e amministrativi.

5. Chi serve a tavola o provvede alle pulizie in alberghi, bar ecc.

6. Lavoratore dipendente che svolge un lavoro manuale e spesso faticoso.

7. Persona esperta nell'arte del cucinare.

8. Chi svolge lavoro d'ufficio, sbriga la corrispondenza e tiene gli appuntamenti per un suo superiore.

2   **Ascolto**   Quaderno degli esercizi

3   **Situazione**

Sei *A*: hai fissato un colloquio con il direttore di un'azienda, a pagina 194 troverai il 'tuo' C.V. e qualche domanda da fare al direttore. Preparati per 2-3 minuti e... in bocca al lupo!

Sei *B*: sei il direttore dell'azienda e vuoi alcuni chiarimenti sul C.V. di *A*, ma anche altre informazioni. Alle pagine 196 e 197 troverai tutto il materiale di cui hai bisogno.

4   **Scriviamo**

Scrivete una lettera ad un amico italiano in cui gli parlate del vostro nuovo lavoro (come lo avete trovato, condizioni, ambiente lavorativo, aspetti positivi e non). In alternativa, potete parlare del lavoro che vorreste fare, spiegandone il perché. *(80-120 parole)*

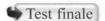 Test finale

L'economia italiana

Il miracolo economico

Dopo la seconda guerra mondiale e fino ai primi anni '50, l'Italia era un paese povero con un'economia basata sull'agricoltura e con poche materie prime*.

Grazie al cosiddetto "piano Marshall" (un progetto di finanziamento degli Stati Uniti per il sostegno e la ripresa economica dell'Europa messa in ginocchio* da tanti anni di guerra), gli italiani hanno realizzato numerose e importanti opere pubbliche (ad esempio, l'autostrada "del Sole" Milano-Napoli) creando così nuovi posti di lavoro, nuovi bisogni e consumi. Le principali aziende italiane hanno potuto rinnovare i loro impianti*, introducendo nuove tecnologie, e agli inizi degli anni '60, grazie anche al basso costo della manodopera*, erano già in grado di esportare* il 40% della loro produzione in Europa: auto, frigoriferi, lavatrici, televisori, ma anche prodotti alimentari e tessili*. Tutti i settori dell'economia, soprattutto quello metalmeccanico e petrolchimico, hanno avuto uno sviluppo senza precedenti.

Il "boom" economico, però, ha accentuato* il già grande squilibrio tra Nord e Sud: decine di migliaia di giovani sono dovuti emigrare verso i centri industriali del Nord. La *Cassa per il Mezzogiorno*, istituita* nel 1950 per favorire lo sviluppo del Sud, non ha potuto risolvere i problemi, purtroppo ancora oggi presenti.

Fondata nel 1899 a Torino da Giovanni Agnelli, la *FIAT* (Fabbrica Italiana Automobili Torino), è sempre stata protagonista dell'economia italiana. Pian piano è diventata un colosso economico, importantissimo a livello mondiale, al quale oggi appartengono, tra l'altro, la *Ferrari*, l'*Alfa Romeo*, la *Lancia*, la *Maserati* e la *Piaggio*.

È grazie ai modelli economici della FIAT, come la 500, che gli italiani cominciano negli anni '50 a riempire le autostrade nei weekend: segno di una società in trasformazione.

Il primo segnale del "boom" è la vasta diffusione della *Vespa*, presto diventata un vero e proprio simbolo dell'Italia e del *Made in Italy*.

L'economia oggi

L'Italia è oggi uno dei paesi più sviluppati al mondo. Grazie alla loro creatività, gli italiani esportano con grande successo i loro prodotti in tutto il mondo. Il *Made in Italy* si è affermato in quasi ogni settore dell'economia: dai macchinari industriali e dalle automobili (*FIAT, Ferrari, Alfa Romeo*) alle motociclette (*Aprilia, Piaggio, Ducati*); dagli elettrodomestici* (*Zanussi, Candy, Ariston*) alle assicurazioni (*Generali*); dai mobili, famosi per il loro design, agli pneumatici* (*Pirelli*). Inoltre, tantissimi prodotti alimentari: caffè (*Lavazza, Illy*), dolci (*Ferrero, Algida*), pasta (*Barilla*), formaggi, salumi, frutta, olio, vino ecc. E, infine, non dimentichiamo la moda: numerose sono le grandi aziende italiane, famosissime nel mondo, che producono capi di abbigliamento, calzature e accessori di alta qualità.

Il settore dei servizi* è molto sviluppato e occupa più del 60% della popolazione. Comprende, tra l'altro, le telecomunicazioni, uno degli elementi più attivi dell'economia italiana: società come la *Telecom Italia* e la *Fininvest* (quest'ultima di proprietà della famiglia Berlusconi) sono tra le più grandi d'Europa. Molto importante per l'economia italiana è, infine, il turismo: oltre 100 milioni sono gli stranieri che ogni anno visitano il *Belpaese*: non solo per ammirare i tesori d'arte e le bellezze naturali ma anche per visitare importanti fiere* commerciali.

1. Il miracolo economico italiano:

☐ a. ha avuto inizio subito dopo la guerra

☐ b. è stato possibile grazie agli europei

☐ c. si è verificato soprattutto al Nord

☐ d. è stato possibile grazie alle ricche risorse naturali

2. Il *Made in Italy* si riferisce soprattutto:
- ☐ a. ai prodotti agricoli
- ☐ b. ai prodotti industriali
- ☐ c. alle telecomunicazioni
- ☐ d. al turismo

3. La *FIAT*:
- ☐ a. è un simbolo dell'industria italiana
- ☐ b. ha pochi anni di vita
- ☐ c. è grande, ma solo a livello europeo
- ☐ d. ha prodotto sempre e solo macchine costose

Il marchio del portale www.italia.it, realizzato per promuovere l'immagine dell'Italia nel mondo.

Il *Made in Italy*

1. Quali di queste marche italiane conoscete? Sapete a quali prodotti corrispondono? Scambiatevi informazioni.

2. Riferite altre marche italiane che hanno una forte presenza nel vostro paese.

3. Quali sono, secondo voi, i segreti del successo mondiale del *Made in Italy*?

Attività online

Glossario: <u>materie prime</u>: sostanze che si trovano in natura (petrolio, ferro, legno ecc); <u>mettere in ginocchio</u>: mettere in crisi, in difficoltà; <u>impianto</u>: insieme degli edifici e dei macchinari necessari per il funzionamento di un'industria; <u>manodopera</u>: il lavoro umano; <u>esportare</u>: vendere i propri prodotti all'estero, in altri Paesi; <u>tessile</u>: relativo alla produzione di stoffe, abiti e così via; <u>accentuare</u>: mettere in evidenza; <u>istituire</u>: fondare; <u>elettrodomestico</u>: apparecchio elettrico che si usa in casa (frigorifero, televisore ecc.); <u>pneumatico</u>: la gomma di un veicolo; <u>servizi</u>: il settore terziario (il commercio, i trasporti, le telecomunicazioni ecc.) di un Paese; <u>fiera</u>: esposizione, salone, mostra-mercato.

Autovalutazione
Che cosa ricordate delle unità 1 e 2?

1. Abbinate le frasi.

1. Com'è il tuo inglese?
2. Katia ha trovato lavoro alla Fiat.
3. Scusami, tesoro!
4. È impossibile!

a. Non importa!
b. Ottimo!
c. Dai, non vedere tutto nero!
d. Davvero?!

2. Sapete...? Abbinate le due colonne.

1. chiedere il perché
2. esprimere sorpresa
3. augurare buona fortuna
4. chiudere una lettera

a. Come mai?
b. Cordiali saluti.
c. In bocca al lupo!
d. Caspita!

3. Completate o rispondete.

1. Chi va piano ....
2. Qual è il decennio del "boom economico"? ....
3. Ti + ne: ....
4. Tre pronomi relativi: ....
5. Quali di queste espressioni usereste in una lettera formale? *Caro Sergio, Gentile sig. Albertini, ArrivederLa, Salve, Spettabile Ditta.*

4. Abbinate le parole alle definizioni. Attenzione: ci sono due parole in più!

licenziare concorso colloquio di lavoro frequentare versare
assumere disoccupato prelevare promuovere risparmiare

1. incontro per capire se qualcuno è adatto a un posto di lavoro ....
2. colui che non ha un lavoro
....
3. mandare via dal posto di lavoro
....
4. dare un voto sufficiente ad un esame
....
5. mettere soldi da parte
....
6. prendere soldi da un conto bancario
....
7. dare un posto di lavoro a qualcuno
....
8. seguire regolarmente le lezioni
....

Verificate le vostre risposte a pagina 203. Siete soddisfatti?

La Mole Antonelliana, Torino

Per cominciare...

 1 Discutete in coppia: in quale di queste città/località andreste per...?
a. frequentare l'università, **b.** fare il viaggio di nozze, **c.** trascorrere le vacanze estive, **d.** fare una vacanza studio o culturale, **e.** fare shopping, **f.** lavorare per qualche tempo

 2 Confrontate le vostre idee/preferenze con le altre coppie.

 3 Ascoltate una prima volta il dialogo: di quali città si parla?

 4 Ascoltate nuovamente il dialogo e indicate le informazioni presenti.

1. Andrea pensa di cambiare lavoro.
2. Lo stipendio che gli offrono è altissimo.
3. Secondo Pina, Roma è una città piena di vita.
4. Andrea preferisce Milano a Roma.
5. Per Andrea, un problema di Venezia sono gli spostamenti.
6. Andrea ha già una casa a Venezia.
7. Andrea non può portare a Firenze il suo cane.
8. Alla fine Pina gli consiglia di rimanere a Napoli.

In questa unità...

1. *...impariamo a fare paragoni, a dare giudizi o esprimere preferenze su cose e persone, a prenotare una camera in un albergo, a chiedere e dare informazioni turistiche, il lessico relativo ai servizi alberghieri;*
2. *...conosciamo la comparazione, il grado dell'aggettivo, i verbi* farcela *e* andarsene, *gli aggettivi e i sostantivi geografici;*
3. *...troviamo informazioni sulle città italiane più importanti.*

A   È più grande di Napoli!

1   Le battute di Pina sono in ordine, ma quelle di Andrea no! Potete numerarle secondo un ordine logico? Poi riascoltate il dialogo per verificare le vostre risposte.

Pina: Ma cosa c'è da pensare ancora?! È un ottimo posto di lavoro!

Pina: Ma quali altre città ti hanno proposto?

Pina: Beh, io direi Roma. È più grande di Napoli, ricca di bellissimi monumenti...

Pina: E di Milano cosa ne pensi? È una grande città, moderna, europea, vivace.

Pina: ...Allora, se non puoi fare a meno del mare, forse a Venezia ti sentirai come a casa tua.

Pina: Già. Allora, non ti resta che Firenze: meno impersonale delle altre e poi, dai, è bellissima, una città d'arte.

Pina: Se la pensi così, allora rinuncia a questo lavoro. Sai come si dice: "Casa, dolce casa"...

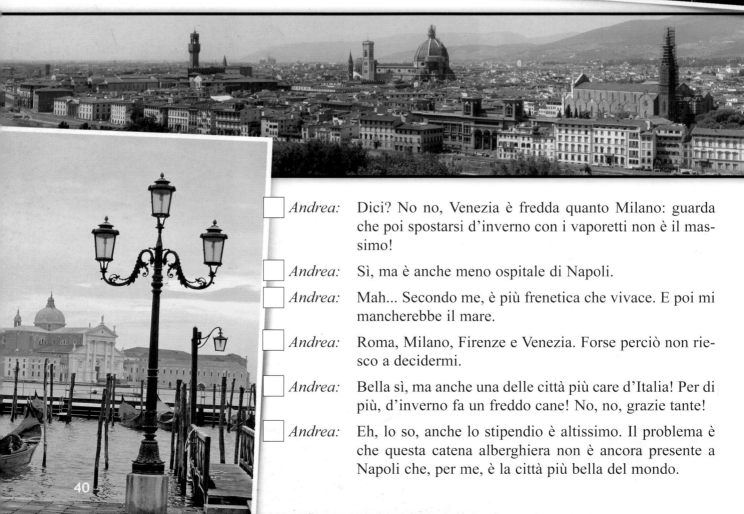

⬜ *Andrea:*   Dici? No no, Venezia è fredda quanto Milano: guarda che poi spostarsi d'inverno con i vaporetti non è il massimo!

⬜ *Andrea:*   Sì, ma è anche meno ospitale di Napoli.

⬜ *Andrea:*   Mah... Secondo me, è più frenetica che vivace. E poi mi mancherebbe il mare.

⬜ *Andrea:*   Roma, Milano, Firenze e Venezia. Forse perciò non riesco a decidermi.

⬜ *Andrea:*   Bella sì, ma anche una delle città più care d'Italia! Per di più, d'inverno fa un freddo cane! No, no, grazie tante!

⬜ *Andrea:*   Eh, lo so, anche lo stipendio è altissimo. Il problema è che questa catena alberghiera non è ancora presente a Napoli che, per me, è la città più bella del mondo.

2   Scegliete l'affermazione giusta.

Cosa intende Andrea quando dice:

"fa un freddo cane" ☐ a. fa molto freddo, ☐ b. fa un freddo sopportabile

"non è il massimo" ☐ a. non è la cosa più importante, ☐ b. non è la cosa migliore

Cosa intende Pina quando dice:

"se non puoi fare a meno del mare" ☐ a. se non puoi vivere senza il mare, ☐ b. se non sopporti il mare

"ti sentirai come a casa tua" ☐ a. sarà facile trovare una casa, ☐ b. sarà facile abituarsi

"Già" ☐ a. comprende il punto di vista di Andrea, ☐ b. ha già sentito ciò che dice Andrea

"non ti resta che…" ☐ a. l'unica alternativa è, ☐ b. manca ancora poco tempo

3   **Il giorno dopo Pina discute con Carla. Completate il loro dialogo con:** *più, meno, più, quanto, di.*

Carla:	Alla fine Andrea ha accettato quella proposta di lavoro o no?
Pina:	È ancora indeciso, perché non ce la fa a vivere lontano da Napoli.
Carla:	Non gli piacerebbe andare nemmeno a Roma?
Pina:	No, perché crede che sia (1)................. ospitale di Napoli.
Carla:	Forse è vero, ma è certo più viva (2)................. tante altre città. Parlo di Milano, Venezia, per esempio...
Pina:	Queste città Andrea nemmeno le prende in considerazione! Dice che Venezia la trova tanto fredda (3)................. Milano.
Carla:	Può darsi, ma sicuramente è (4)................. tranquilla. Poi? Può scegliere tra altre città?
Pina:	Ci sarebbe Firenze, ma per lui è tra le città (5)................. care d'Italia, il che forse è vero.
Carla:	Secondo me sono tutte scuse perché in fondo non se ne vuole andare da Napoli!
Pina:	Ma così rischia di perdere la migliore occasione della sua vita!

4   **Abbiamo appena letto "non** *ce la fa* **a vivere lontano da Napoli" e "non** *se ne* **vuole** *andare* **da Napoli". Capite il significato di questi verbi? In Appendice, a pagina 183, potete vedere come si coniugano.**

➥ 1

5   **Immaginate di essere Andrea: scrivete un'e-mail ad un amico per chiedere consigli sulla decisione da prendere.** *(50-60 parole)*

6 Quali parole usiamo per fare un confronto? Osservate la conversazione al punto 3 e completate la tabella che segue.

Comparazione tra due nomi o pronomi

Laura è **più** gentile .... Saverio.
Lui studia **più di** te.

(*comparativo di maggioranza*)

Parma è .... grande **di** Roma.
Io ho mangiato **meno di** te.

(*comparativo di minoranza*)

Noi siamo (tanto) bravi **quanto** loro.
Ferrara è (così) piccola **come** Perugia.

(*comparativo di uguaglianza*)

7 Osservando la scheda precedente ed il modello, costruite delle frasi orali.

Tina / magra / Daria.

Tina è più magra di Daria. / Tina è meno magra di Daria. / Tina è magra quanto Daria.

1. Le ragazze / leggono / i ragazzi.
2. Questa casa / costa / la nostra.
3. I documentari / interessanti / i telegiornali.
4. Le gonne / comode / i pantaloni.
5. La macchina di Elisa / veloce / la mia.
6. Beatrice / carina / sua sorella.

2 - 5

8 Lavorate in coppia: ognuno, guardando la tabella, dovrà fare un'osservazione (ad es. "La Sicilia è più grande della Sardegna", o "Milano ha meno abitanti di Roma", oppure "La Toscana è grande quasi quanto l'Emilia Romagna") mentre l'altro controlla l'esattezza delle informazioni.

regione	superficie	abitanti
Lombardia	23.857 kmq	8.900.000
Veneto	18.364 kmq	4.370.000
Emilia Romagna	22.124 kmq	3.940.000
Toscana	22.992 kmq	3.600.000
Lazio	17.203 kmq	5.100.000
Campania	13.595 kmq	5.700.000
Sicilia	25.709 kmq	5.100.000
Sardegna	24.090 kmq	1.640.000

capoluogo	abitanti
Milano	1.520.000
Venezia	330.000
Bologna	440.000
Firenze	440.000
Roma	2.900.000
Napoli	1.216.000
Palermo	720.000
Cagliari	223.500

Quali altre regioni e città italiane conoscete?

B   Più italiana che torinese!

1   In ogni Paese, tra le varie città o zone esistono differenze culturali, di mentalità ecc. Nel vostro che differenze ci sono? Parlatene in coppia.

2   Leggete il testo e indicate le affermazioni corrette.

Le differenze che ci uniscono

Abbiamo chiesto ad alcuni noti personaggi la loro opinione sull' "altra metà del paese": a quelli del Nord cosa pensano del Sud e viceversa. Ecco cosa ci hanno risposto:

Massimo Cacciari, ex sindaco di Venezia: "Amo tutto il Sud. Sono pazzo di Agrigento, Castel del Monte, la bellissima costiera Amalfitana. D'altra parte adoro la mozzarella di Caserta. In un mio menù ideale metterei più piatti meridionali che settentrionali."

Maria Teresa Ruta, giornalista tv, nata a Torino: "Io sono torinese, mia madre è di origini calabresi, mio padre è piemontese, ma ha sangue siciliano. Ho parenti sparsi lungo tutta la penisola. Quindi mi sento più italiana che torinese!"

Lina Sastri, attrice e scrittrice: "Sono una calabrese che adora Bologna. Ci vado spesso per lavoro, ma ho anche molti amici. Certo, Bologna non ha il mare, che è una parte di me. Ma ha uno spirito civile che ammiro. Noi meridionali siamo diversi: seguiamo più le emozioni che le leggi."

Luciano De Crescenzo, scrittore, napoletano: "A Milano mi affascinano le auto ferme. In questa città più che guidare si aspetta ai semafori. Quando ci sono andato a vivere, dopo un anno non conoscevo nessuno dei vicini. La mia *privacy* era garantita: non come a Napoli che chiunque mi entrava in casa a ogni ora. Insomma, amo Nord e Sud perché sono così: terribilmente diversi."

tratto da Donna moderna

1. Massimo Cacciari preferisce la cucina
   a. del Nord
   b. del Sud
   c. veneziana

2. Maria Teresa Ruta
   a. non si sente torinese
   b. ha parenti in tutta Italia
   c. ha parenti all'estero

3. Lina Sastri
   a. va spesso in Calabria
   b. ha una casa sul mare
   c. si lascia guidare dalle emozioni

4. A Milano Luciano De Crescenzo
   a. non conosceva nessuno
   b. non usava mai la macchina
   c. poteva godere della sua privacy

3   Sottolineate nel testo la comparazione usata da ciascun personaggio intervistato.

4 Osservate la tabella. Che differenze notate rispetto alla comparazione tra nomi e pronomi?

Comparazione tra due aggettivi, verbi o quantità

- Milano è una città vivace. ⇨ - Secondo me, è **più** frenetica **che** vivace.
- Beppe è molto intelligente. ⇨ - Io, invece, credo che sia **più** furbo **che** intelligente.

- Ti piace guardare la tv o leggere? ⇨ - Mi piace **più** leggere **che** guardare la tv.
- Mi piace il modo in cui insegna. ⇨ - Ma lei **più che** insegnare, recita.

- A casa nostra mangiamo **più** carne **che** verdura.
- Per fortuna leggo **più** libri **che** riviste.

5 Costruite delle frasi secondo gli esempi di sopra.

1. Questo chef / famoso / bravo.
2. Tiziana simpatica / attraente.
3. Divertente / imparare l'italiano / (imparare) il tedesco.
4. Alla festa di Carlo c'erano / uomini / donne.
5. Preferisco / stare a casa / uscire con Mario.

 6 - 11

6 Abitanti d'Italia. In coppia cercate di completare i riquadri.

Torino
torinese

Piemonte
....

Firenze
....

Roma
....

Napoli
....

....
sardo

....
palermitano

Sicilia
....

....
milanese

....
lombardo

Venezia
....

....
emiliano

Bologna
....

Toscana
....

....
molisano

....
calabrese

C   Vorrei prenotare una camera.

1   In base a quali criteri scegliereste un albergo? Come dovrebbe essere? Parlatene.

2   Ascoltate questa pubblicità e segnate con una X le affermazioni giuste.

1. L'albergo è	☐ l'Hilton	☐ l'Holiday Inn	☐ il Grand Hotel
2. L'albergo è	☐ di colore verde	☐ immerso nel verde	☐ immenso e verde
3. L'albergo ha	☐ un ottimo ristorante	☐ un ristorante tipico	☐ tre ristoranti
4. L'albergo ha	☐ un grande campeggio	☐ un vantaggio	☐ un grande parcheggio
5. I due ragazzi	☐ sono sposati	☐ sono fidanzati	☐ sono amici

3   Adesso ascoltate un dialogo e sottolineate i servizi menzionati.

Piccoli animali ammessi   TV satellitare   Accesso internet

Parcheggio   Linea telefonica diretta   Mini bar (frigobar)

Piscina   Palestra   Aria condizionata   Ristorante

4   Ascoltate di nuovo e segnate le affermazioni presenti nella conversazione.

1. L'albergo è vicino al Colosseo.
2. Il signor Rapetti vuole una camera matrimoniale.
3. L'albergo ha camere con vista sul parco.
4. La camera 422 è la migliore dell'hotel.
5. Per gli animali è previsto uno sconto.
6. Il signor Rapetti chiede indicazioni su come arrivare.

5   In coppia, cercate di completare con le espressioni che avete sentito. Alla fine riascoltate il dialogo per verificare le vostre risposte e fate il role-play.

Prenotare una camera	Chiedere informazioni
....	....
....	....

A chiama un albergo per prenotare una camera: chiede informazioni sui prezzi, i servizi e altre caratteristiche dell'albergo. *B* è l'impiegato/a dell'albergo: dà tutte le informazioni richieste cercando di aiutare quanto possibile *A*.

le-play

6   Leggete questi due testi: qual è l'albergo più grande? E il più caro? Il più tranquillo? Quello più vicino alla stazione ferroviaria?

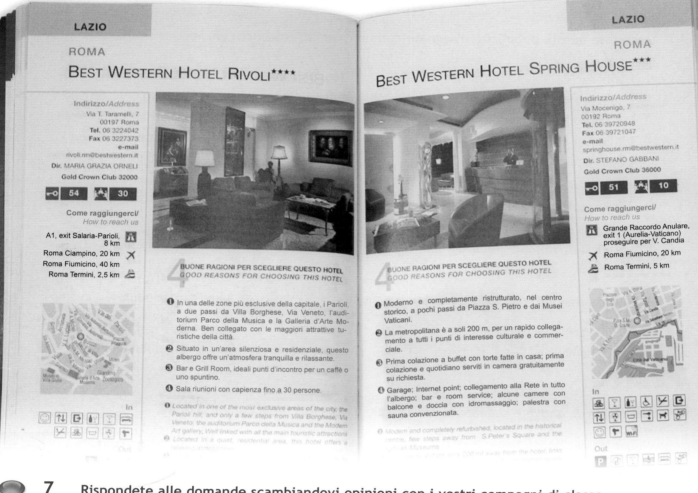

7   Rispondete alle domande scambiandovi opinioni con i vostri compagni di classe.

1. Quale dei due alberghi scegliereste e perché? Scambiatevi opinioni.
2. Che somiglianze o differenze notate? Parlatene.
3. Vi piace pernottare in albergo? Motivate le vostre risposte.

D   Il più bello!

1   Osservate e completate la tabella che segue.

Superlativo relativo di aggettivi

- È grande l'albergo?   - Sì, è .... albergo **più grande** della zona.
- L'Italia ha molte belle città. - Sì, ma Roma è .... **più bella**!
- È difficile questo esercizio? - No, forse è .... esercizio **meno difficile** dell'unità.
- È antico quel monumento?   - Sì, è .... monumento **più antico** della città.

2 Costruite delle frasi secondo l'esempio.

> albergo / caro / città.
> *Questo è l'albergo più caro della città.*

1. Alfredo / studente / bravo / classe
2. canzone / bella / Luciano Pavarotti
3. Venezia / città / tranquilla / Italia
4. Gino / impiegato / esperto / azienda

➡ 12 e 13

3 Osservate i fumetti e scegliete la parola giusta per completarli.

Per me Roma non è semplicemente bella è buonissima/bellissima!

Sì, sono stato male ma ora sto bene, anzi moltissimo/benissimo!

4 Le parole in blu dell'attività precedente rappresentano il *superlativo assoluto* di un aggettivo e di un avverbio. Lo usiamo per esprimere un giudizio senza fare paragoni con qualcos'altro. In coppia rispondete alle seguenti domande usando il superlativo assoluto.

1. Ti devi alzare presto domattina?
2. È pesante la tua valigia?
3. Trovi interessante questo libro?
4. Andate spesso al cinema?

➡ 14 - 16

5 Completate il testo con le preposizioni, semplici e articolate.

FIRENZE

Piazza della Signoria è considerata una "bellezza d'Italia", tra l'altro per la grandezza di *Palazzo Vecchio*, la monumentale *Fontana del Nettuno*, la copia ....(1) *David* di Michelangelo, una ....(2) sue opere migliori, il *Perseo*, capolavoro di Benvenuto Cellini e, infine, il *Ponte Vecchio*. È come visitare una raccolta ....(3) straordinarie opere d'arte. I cittadini passano accanto ....(4) queste meraviglie e quasi non le notano: sono abituati ....(5) cose belle. Gli stranieri restano incantati. Diceva Indro Montanelli, toscano e uno ....(6) maggiori giornalisti italiani: "Dei fiorentini bisogna salvare almeno un carattere, quello dell'amore che hanno ....(7) loro città. Ma io amavo la Firenze vecchia, la città medievale ....(8) stradine strette e le botteghe degli artigiani aperte sulla via. Che non cerco ....(9) ritrovare perché ormai non c'è più." Sono parole piene ....(10) malinconia, ma le cose sono cambiate ovunque e certe atmosfere sono sempre più difficili ....(11) scoprire, specialmente in un ambiente storico come questo: si cammina, si vive come tra le pagine di un manuale di architettura. Solo che ....(12) tetti dei palazzi ci sono ormai le antenne della televisione.

adattato da I come italiani di Enzo Biagi

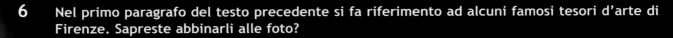

6 Nel primo paragrafo del testo precedente si fa riferimento ad alcuni famosi tesori d'arte di Firenze. Sapreste abbinarli alle foto?

....

7 Sempre nel testo su Firenze abbiamo letto "una delle sue opere *migliori*" e "uno dei *maggiori* giornalisti italiani". Completate le frasi.

Forme particolari di comparazione

Questo dolce è **più buono** di quello.	⇨ È sicuramente .... di quello.
La tua idea è **più cattiva** della mia.	⇨ È **peggiore** della mia.
Questo è il suo problema **più grande**.	⇨ È il suo problema ....
La mia sorella **più piccola** si chiama Ada.	⇨ Ada è la mia sorella **minore**.
ma anche:	
I guadagni sono stati **più alti** del previsto!	⇨ Sono stati **superiori al** previsto.
I risultati sono **più bassi** delle aspettative.	⇨ Sono **inferiori alle** aspettative.

Forme particolari di superlativo (ad es. *ottimo*) in Appendice a pagina 184.

8 Osservando la tabella precedente completate le frasi.

1. Questo programma non è tanto interessante, ma è sicuramente .... di quello che guardavi prima.
2. Oggi la qualità della vita è .... a quella di 50 anni fa.
3. La situazione qua è .... di quella che mi aspettavo: non vedo l'ora di andarmene.
4. Quest'anno il numero di incidenti è stato .... a quello dell'anno scorso grazie alle misure speciali prese dalla polizia stradale.
5. Le mie responsabilità sono .... delle tue poiché io sono più grande.
6. Nino ha due anni meno di me: è il mio fratello ....

17 e 18

E   Vocabolario e abilità

1 Descrivete e commentate queste due foto.

2 Di seguito ci sono parole relative agli alberghi, ai viaggi in genere e ad entrambe le categorie. Lavorando in coppia inseritele nei riquadri corrispondenti.

soggiorno pernottamento ricevimento biglietto prenotazione volo arrivo
partenza stazione porto aeroporto bagagli sistemazione cameriere
passeggero camera passaporto guida meta agenzia di viaggi alloggio

alberghi	viaggi

San Pietro

3 **Ascolto** Quaderno degli esercizi

4 **Situazioni**

1. Descrivi la tua città ad un amico italiano che non ci è mai stato: cosa ti piace di più e cosa di meno, i luoghi che dovrebbe vedere o in cui sarebbe bello trascorrere qualche serata con gli amici. Un tuo compagno, nella parte dell'amico italiano, ti fa delle domande per saperne di più.

2. **Sei A** e vai in un'agenzia di viaggi per chiedere informazioni su un viaggio in Italia: a pagina 194 troverai alcune delle domande che puoi formulare. **Sei B** e lavori in un'agenzia di viaggi. A pagina 197 troverai un'offerta che potrebbe essere... quasi perfetta per A e possibili risposte alle sue domande.

5 **Scriviamo**

1. Un tuo amico italiano pensa di trascorrere le vacanze nel tuo Paese, ma in un periodo in cui tu non ci sarai. Chiede il tuo consiglio su cosa fare, dove andare, quali città e monumenti visitare. La tua risposta deve essere invitante come una brochure pubblicitaria. *(100-120 parole)*

2. Dopo un soggiorno deludente in un albergo di Firenze scrivi una lettera al direttore in cui esponi i problemi che hai affrontato ed esprimi un giudizio negativo sull'ospitalità, la professionalità del personale e la qualità dei servizi in genere. *(100-120 parole)*

 Test finale

La Fontana di Trevi

Il Pantheon

Città italiane

Roma

La città eterna*, e centro del più grande impero* dell'antichità, è capitale d'Italia dal 1871. Si estende sulle due rive del fiume Tevere e oggi conta circa tre milioni di abitanti. Sono sempre tantissimi i turisti che la visitano ogni anno per ammirarne gli splendidi tesori d'arte: forse, è proprio vero che "tutte le strade portano a Roma" come si dice da più di duemila anni.

Oggi è una metropoli moderna e, soprattutto nelle ore di punta, è preferibile spostarsi con la metropolitana, che permette di raggiungere facilmente quasi tutte le zone della città. Inoltre, agli autobus è permesso l'accesso* alle zone chiuse al traffico ordinario.

Tra gli innumerevoli monumenti sparsi per la città, particolare riferimento meritano:

- il **Foro Romano** e il **Palatino**, centri religiosi, politici e commerciali della Roma antica. Vi si trovano le rovine di numerosi templi*, palazzi degli imperatori romani e tanti altri edifici dell'epoca antica;

- il **Colosseo**, o Anfiteatro Flavio (80 d.C.), era il simbolo della città antica e tanto grande da ospitare, durante gli spettacoli che vi si organizzavano, ben 50.000 spettatori;

Il Colosseo

- **Piazza Navona**, isola pedonale*, è uno dei punti di ritrovo più piacevoli e animati* di Roma. Al centro si trova la *Fontana dei quattro Fiumi*, capolavoro del Bernini;

- **Piazza di Spagna**, frequentatissima da turisti e giovani, deve il suo nome al Palazzo di Spagna, antichissima sede dell'ambasciata spagnola. L'enorme *scalinata* porta alla chiesa di *Trinità dei Monti*;

'l Vittoriano

- la **Fontana di Trevi**, grandioso e bellissimo monumento di Nicola Salvi. I turisti per antica tradizione vi gettano una moneta, sperando così di fare ritorno un giorno a Roma;

- la **Basilica di San Pietro** è la più grande chiesa del mondo. La sua enorme piazza è circondata* dal maestoso* *Portico* del Bernini. Al suo interno possiamo ammirare la *Pietà* di Michelangelo. Da visitare i *Musei Vaticani* con la *Cappella Sistina* e le *Stanze di Raffaello*. La basilica è situata al centro della Città del Vaticano, il più piccolo stato indipendente del mondo.

Altri monumenti importanti di Roma sono il *Campidoglio*, il *Vittoriano*, il *Pantheon*, *Castel Sant'Angelo*, le *catacombe**, le *Terme** di Caracalla* e tanti altri.

Glossario: eterno: che ha avuto inizio, ma non avrà una fine; impero: insieme di Paesi governati da un re che ha il titolo di imperatore; accesso: entrata; tempio: edificio in cui si svolgono le pratiche religiose; pedonale: spazio riservato a coloro che camminano a piedi; animato: pieno di vita; circondato: limitato tutt'intorno; maestoso: tanto grande da impressionare; catacomba: galleria sotterranea usata dai primi cristiani come cimitero e come luogo per incontrarsi e pregare; terme: nell'antica Roma, edifici pubblici con piscine, per bagni caldi o freddi, palestre e così via.

1. Roma:
- [ ] a. è la capitale d'Italia da duemila anni
- [ ] b. è piena di tesori d'arte
- [ ] c. non dispone del metrò
- [ ] d. è una città tranquilla

2. Un luogo in cui gli stessi romani si danno appuntamento è:
- [ ] a. il Colosseo
- [ ] b. Piazza Navona
- [ ] c. il Foro Romano
- [ ] d. Piazza San Pietro

3. Roma è:
- [ ] a. il centro dell'economia italiana
- [ ] b. il più piccolo stato indipendente del mondo
- [ ] c. una città "museo"
- [ ] d. circondata da fiumi

Piazza di Spagna e Trinità dei Monti

Milano

È la città italiana più europea. Ricca e moderna, è il capoluogo finanziario d'Italia. Infatti, oltre alla sua fertile* economia (l'industria, il commercio, la moda), è sede di grandi banche e aziende italiane ed estere, ospita la Borsa Valori e la sua Fiera è conosciuta a livello mondiale.

La città ha un efficiente servizio di trasporto pubblico: oltre agli autobus e al tram, i milanesi hanno a loro disposizione anche la metropolitana. Nonostante ciò il traffico è inevitabile e molti milanesi preferiscono trasferirsi in centri urbani intorno a Milano.

Il monumento più rappresentativo di Milano è senz'altro il *Duomo*, di stile gotico*, una delle più grandi e belle cattedrali del mondo. La sua *Piazza* e la vicina *Galleria Vittorio Emanuele II*, sono i punti d'incontro dei milanesi. Altri monumenti importanti sono il *Teatro alla Scala*, uno dei più celebri teatri lirici del mondo, e il *Castello Sforzesco*, un tempo residenza* dei duchi di Milano. Infine chi visita Milano ha l'occasione di ammirare dal vivo il *Cenacolo* (o l'*Ultima Cena*) di Leonardo da Vinci che si trova nel convento della *Chiesa S. Maria delle Grazie*.

Un Naviglio

Bologna

Sede della prima università del mondo (dal 1088!), è la capitale gastronomica* d'Italia: rinomata per la sua grande varietà di salumi e la buona cucina. Ha mantenuto, almeno al centro, la sua architettura medievale*, anche se delle oltre duecento torri ne sono rimaste pochissime, di cui le più famose sono quelle pendenti della *Garisenda* e degli *Asinelli* (100 m, 486 scalini). La *Chiesa di San Petronio*, *Piazza Maggiore* e *Piazza del Nettuno* completano il centro storico. Sotto i portici*, bolognesi, turisti e numerosi studenti vanno a spasso per gli eleganti negozi e i tanti caffè di questa tranquilla e, al tempo stesso, vivace città.

San Petronio

Glossario: <u>fertile</u>: che produce, ricco; <u>gotico</u>: stile artistico diffuso in Europa tra il XII e il XIV secolo; <u>residenza</u>: luogo, edificio in cui si abita; <u>gastronomico</u>: che riguarda l'arte di cucinare; <u>medievale</u>: che si riferisce al Medioevo, periodo compreso tra il 476 e il 1492; <u>portico</u>: colonnato.

A quale città corrisponde ogni affermazione?

1. Ci vivono molti studenti.
2. È famosa per la sua cucina.
3. Uno dei suoi problemi è il traffico.
4. Ha un carattere internazionale.
5. È moderna, nonostante i tanti palazzi antichi.
6. Vanno in scena molti spettacoli di Opera.

	Milano	Bologna

Venezia

La "Serenissima" è una città costruita sull'acqua, cioè su circa 120 piccole isole divise da 160 canali e collegate tra loro da 350 ponti! Tra questi i più suggestivi* sono il famoso *Ponte dei Sospiri*, chiamato così perché i condannati (tra cui anche Giacomo Casanova) ci passavano sopra sospirando, e il *Ponte di Rialto* che, con le sue splendide botteghe, attraversa il *Canal Grande*.
Milioni di turisti ogni anno restano incantati* da questa città e dai suoi tesori d'arte che rischiano di finire sott'acqua, poiché Venezia "affonda" lentamente (mezzo centimetro all'anno). In *Piazza San Marco*, cuore del meraviglioso Carnevale, sorge la *Basilica di San Marco* (1073), il più alto esempio di arte veneto-bizantina anche se in seguito ulteriori interventi hanno lasciato tracce di altri stili (romanico, gotico, rinascimentale). Proprio accanto si può ammirare il Palazzo Ducale, simbolo della gloria* veneziana e residenza del Doge, cioè il capo dell'antica Repubblica marinara di Venezia.

Napoli

"Vedi Napoli e poi muori" si diceva una volta. Fondata dai greci nel V secolo a. C. con il nome *Neapolis* (città nuova), è la più importante città dell'Italia del Sud. Situata su un grande golfo, ai piedi del vulcano Vesuvio, è stata per sei secoli la capitale del Regno* di Napoli; di questo periodo glorioso ci rimangono testimonianze artistiche molto importanti. *Castel Nuovo* o *Maschio Angioino* (1282) e il *Teatro San Carlo* sono tra i monumenti più celebri. Napoli è una città affascinante, viva e divertente, dove si mangia bene; la gente, aperta e cordiale, parla il dialetto italiano certamente più musicale. D'altra parte, però, questa città affronta gravi problemi, legati alla disoccupazione e alla criminalità.

Il Golfo di Napoli

Il Canal Grande

A quale città corrisponde ogni affermazione?

1. Le sue origini sono molto antiche.
2. Non circolano quasi per niente auto.
3. Ha avuto a lungo un re.
4. In futuro forse non sarà più la stessa.
5. Più di duemila anni fa era abitata dai greci.
6. Ha molti problemi da risolvere.

	Venezia	Napoli

Glossario: suggestivo: emozionante, affascinante; incantato: stupiti, meravigliati, affascinati; gloria: fama, successo, orgoglio; regno: stato, territorio che è sotto l'autorità, il governo di un re.

Attività online

Autovalutazione
Che cosa ricordate delle unità 2 e 3?

1. Sapete...? Abbinate le due colonne.

1. cominciare una lettera
2. fare paragoni
3. esprimere un giudizio
4. chiedere il perché
5. fare una prenotazione

a. Per quale motivo l'hai fatto?
b. Vorrei una camera doppia.
c. È più intelligente di me.
d. Egregio Dottor Masi...
e. Ottima idea!

2. Abbinate le frasi. Nella colonna a destra c'è una frase in più.

1. Che tempo fa da voi?
2. Ami molto lo sport, no?
3. Secondo te, è vero?
4. Sai, io ho molti hobby!
5. Marta è molto ospitale.

a. Tipo?
b. Un freddo cane!
c. Sì, ti fa sentire come a casa tua.
d. No, sono tutte scuse!
e. Non posso farne a meno!
f. Per me non è il massimo.

3. Completate o rispondete.

1. Roma ha circa .... di abitanti mentre Milano circa ....
2. Il *Ponte di Rialto* di trova a .... e *Piazza della Signoria* a ....
3. Camera a due letti: ....
4. Il superlativo assoluto di *grande* e di *male*: ....
5. Quali parole usiamo per confrontare due aggettivi? ....

4. Completate le frasi con le parole mancanti.

1. La maggior parte dei t......................... non possono permettersi un a......................... a quattro stelle.
2. Con questa carta di c......................... puoi avere uno s......................... del 20% in molti negozi.
3. Abbiamo perso il v......................... per Londra perché avevamo dimenticato i b......................... a casa!
4. Per fortuna la mia a......................... di viaggi mi ha consigliato di p......................... molto prima.
5. Dopo quel c......................... di lavoro ha trovato un buon p......................... in banca.

Verificate le vostre risposte a pagina 203.
Siete soddisfatti?

Castello Miramare, Trieste

Un po' di storia

Per cominciare...

1 Facciamo un veloce test di storia? Abbinate le illustrazioni al periodo storico.

a. 1920 **b.** 1860 **c.** Rinascimento (1500) **d.** Medioevo **e.** Roma Antica

2 Cosa sapete dell'Antica Roma? Secondo voi, quali di queste parole sono relative a quel periodo?

conquistare, repubblica, invadere, impero, favola, parlamento, monarchia

3 Ascoltate una prima volta il dialogo e verificate le vostre ipotesi.

4 Ascoltate di nuovo e indicate le affermazioni corrette.

1. Dopo la fondazione di Roma
   a. Romolo uccise Remo
   b. Remo uccise Romolo
   c. Romolo diventò imperatore
   d. Romolo diventò dittatore

2. All'inizio Roma era
   a. un impero
   b. una monarchia
   c. una penisola
   d. un villaggio

3. Giulio Cesare è stato
   a. il primo dittatore di Roma
   b. il primo imperatore di Roma
   c. un generale di Roma
   d. la persona più odiata di Roma

4. Fu un bravo imperatore
   a. Augusto
   b. Caligola
   c. Nerone
   d. Marco Aurelio

In questa unità...

1. ...impariamo a raccontare eventi storici o lontani nel passato, a precisare quanto affermato, a contraddire qualcuno;
2. ...conosciamo il passato remoto, il trapassato remoto e gli avverbi di modo;
3. ...troviamo alcune informazioni sulla storia d'Italia, dall'antichità ai nostri giorni.

A Chi fondò Roma?

1 Ascoltate e leggete il dialogo per verificare le vostre risposte all'attività precedente.

Carletto: Papà, la maestra ci ha parlato un po' dell'antica Roma, ma non ho capito bene chi la fondò.

papà: Dai che lo sai già! La fondarono Romolo e Remo, ma poi Romolo litigò con suo fratello e lo uccise.

Carletto: Cioè Romolo fu anche il primo presidente di Roma?

papà: Facciamo un po' di ordine! Allora, all'inizio Roma era solo un villaggio, poi con il tempo i Romani sconfissero gli altri popoli della penisola e diventarono una potenza militare.

Carletto: Ho capito. E chi fu il primo imperatore di Roma, Cesare?

papà: No, per parlare di Cesare e dell'Impero Romano bisognerà aspettare ancora molti secoli. Prima ci furono i famosi sette re, poi da monarchia Roma divenne una Repubblica e conquistò quasi tutta l'Europa e parte dell'Asia e dell'Africa. Giulio Cesare, che era uno dei più grandi generali romani, alla fine diventò anche dittatore.

Carletto: Un dittatore! Allora era proprio cattivo!

papà: Non proprio! Anzi il popolo lo amava molto ma, forse proprio per questo, alcuni senatori lo uccisero.

Carletto: E dopo chi diventò imperatore?

papà: Il primo fu Augusto, uno dei migliori imperatori romani. Però non tutti gli imperatori furono bravi quanto lui; ad esempio, il pazzo Caligola nominò senatore il suo cavallo e Nerone accusò i cristiani dell'incendio che bruciò Roma. Tuttavia, non mancarono imperatori saggi, come Marco Aurelio e altri...

Carletto: Adesso credo di aver capito tutto. Papà, un'ultima domanda: Asterix quando diventò imperatore?!!

2 Leggete il dialogo e, in coppia, mettete in ordine cronologico gli avvenimenti.

Roma diventa una potenza militare.

Cesare diventa dittatore.

Augusto diventa imperatore.

Romolo uccide suo fratello Remo.

Roma conquista l'Europa e altri territori.

Alcuni senatori uccidono Cesare.

3 Il giorno dopo Carletto racconta alla sua maestra tutto ciò che ha imparato, ma confonde un po' (anzi, completamente) nomi e fatti. Completate il dialogo con i verbi dati.

Carletto:	Signora maestra, io so tutto dell'antica Roma! Me l'ha spiegato mio padre!
maestra:	Bravo, Carlo! Dai, raccontaci che cosa ricordi.
Carletto:	Allora, Romolo tradì Cesare, lo .... e fondò l'Impero romano. Poi i Romani .... le guerre contro altri popoli, conquistarono l'Asia e l'America e .... un giornale, "la Repubblica".
maestra:	Carletto, ma cosa dici? Romolo che fonda l'impero, l'America, un giornale! Stai facendo un po' di confusione, mi pare!
Carletto:	Cioè non è vero che i senatori .... Romolo per invidia?
maestra:	Di nuovo lo confondi con Cesare. Di lui ricordi qualcos'altro?
Carletto:	Certo: Cesare .... i cristiani di aver incendiato Roma e nominò senatore Augusto.
maestra:	Ragazzi, non date retta a quello che dice Carlo! Adesso vi spiego io come andarono veramente le cose.
Carletto:	Ma perché, non è vero che Augusto .... senatore e il peggior nemico di Asterix?
maestra:	No, Asterix fu un nemico di Cesare! Ma che dico?!!

> **cominciarono   fu   fondarono   accusò   uccise   uccisero**

4 Scrivete un breve riassunto *(40-50 parole)* del dialogo introduttivo.

....

....

....

....

....

....

5 Nel dialogo introduttivo abbiamo visto "Roma *conquistò* quasi tutta l'Europa" e "i Romani ... *diventarono* una potenza militare". **Provate a completare la tabella che segue.**

Il passato remoto (verbi regolari)

-are	-ere	-ire
and**ai**	cred**ei** (-**etti**)	cap**ii**
and**asti**	cred**esti**	cap**isti**
and......	cred...... (-**ette**)	cap**ì**
and**ammo**	cred**emmo**	cap**immo**
and**aste**	cred**este**	cap**iste**
and............	cred**erono** (-**ettero**)	cap............

Secondo voi, quando si usa il passato remoto? Verificate le vostre ipotesi a pagina 184.

6 **Costruite delle frasi mettendo il verbo tra parentesi al passato remoto.**

1. La Repubblica Romana *(durare)* ben cinque secoli.
2. Loro *(insistere)* tanto che alla fine io *(accettare)*.
3. Dieci anni fa *(partire)* dal suo paese per andare a vivere a Milano.
4. In quel momento voi non mi *(prendere)* sul serio.
5. Quando noi *(arrivare)* in città, in giro non c'era nessuno.
6. Nel 1492 il genovese Cristoforo Colombo *(scoprire)* l'America.

Cristoforo Colombo

 1 - 4

B In che senso?

1 **Ascoltate le frasi e completate. Secondo voi, quando possiamo usare queste espressioni?**

a. Non mi va di venire al cinema con te; .... che purtroppo abbiamo gusti diversi.

b. Stefano è un po' indiscreto, ... a volte fa delle domande troppo personali.

c. Allora, ...: ho reagito così perché mi sono sentito offeso.

d. È un tipo strano, ... a volte non gli puoi dire niente che si arrabbia subito.

e. Vittorio ha realizzato il suo sogno, ... una *Ferrari*, anche se di seconda mano.

2 **In coppia formate due frasi usando le espressioni appena incontrate.**

....

....

5

3   Completate il fumetto con le battute date. Attenzione: ce ne sono due in più!

1. Non è vero niente... nel senso che posso spiegare tutto!
2. Che ne dici di una bella partita a scacchi?
3. Ma non finisce qui tra noi, Gallo! Ci incontreremo di nuovo!
4. Eccoli! Sono tornati!
5. Qualcuno può spiegarmi cosa è successo?
6. Ma io feci esattamente quello che mi avevi detto tu, Cesare!

4   Indicate le affermazioni corrette.

1. Caius Bonus voleva:
   - ☐ a. assassinare Cesare
   - ☐ b. procurare a Cesare la pozione magica
   - ☑ c. diventare imperatore con l'aiuto di Asterix

2. Cesare:
   - ☐ a. non crede alle parole di Asterix
   - ☐ b. decide di dare Caius Bonus in pasto ai leoni del Colosseo
   - ☑ c. affida a Caius Bonus una missione pericolosa

3. Alla fine:
   - ☑ a. Cesare lascia andare i due Galli
   - ☑ b. Cesare e Asterix diventano amici del cuore
   - ☐ c. Cesare e Asterix si danno appuntamento a Roma

5   Nell'attività precedente abbiamo incontrato forme come "io *feci* esattamente quello che mi avevi detto tu". Completate la tabella con: *diede, fu, dicesti, feci.*

Verbi irregolari (I)		
avere	**essere**	**dare**
ebbi	fui	diedi (detti)
avesti	fosti	desti
ebbe	....	.... (dette)
avemmo	fummo	demmo
aveste	foste	deste
ebbero	furono	diedero (dettero)
dire	**fare**	**stare**
dissi	....	stetti
....	facesti	stesti
disse	fece	stette
dicemmo	facemmo	stemmo
diceste	faceste	steste
dissero	fecero	stettero

Altri verbi irregolari in Appendice a pagina 184.

6   Completate le frasi con le forme verbali del punto 5.

1. Ormai, dopo tanti anni, so bene che io ..... *feci* .... male ad accettare la tua proposta.
2. Quel giorno ..... *ebbi* .... una grande fortuna a incontrarti!
3. Quando sentii quelle parole gli .... *diede dicci* ...... un bacio.
4. Al concerto c'era tanta gente che Carla e Andrea .... *stetero* .... in piedi tutta la sera.
5. Gli .... *dissi* .... che lo avrei chiamato, però me ne dimenticai.

6 - 9

C   C'era una volta...

1   Completate la favola, scegliendo la parola opportuna tra quelle proposte in basso.

A sbagliare le storie

● C'era una volta una bambina che .....(1)..... Cappuccetto Giallo.

● No, Rosso!

● Ah, sì, Cappuccetto Rosso. La sua mamma la chiamò e .....(2)..... disse: Senti, Cappuccetto Verde...

● Ma no, Rosso!

● Ah, sì, Rosso. Vai dalla zia Diomira a portarle questa buccia di patata.

● No: vai dalla nonna a portarle questa focaccia.

● Va bene: La bambina andò .....(3)..... bosco e incontrò una giraffa.

● Che confusione! Incontrò un lupo, non una giraffa.

● E il lupo le domandò: Quanto .....(4)..... sei per otto?

● Niente affatto. Il lupo le chiese: .....(5)..... vai?

● Hai ragione. E Cappuccetto Nero rispose...

● Era Cappuccetto Rosso, rosso, rosso!

● Sì, e rispose: vado al mercato a comprare la salsa di pomodoro.

● Neanche per sogno: vado dalla nonna che è malata, ma non .....(6)..... più la strada.

● Giusto. E il cavallo disse...

● .....(7)..... cavallo? Era un lupo.

● Sicuro. E disse così: Prendi il tram numero 33, scendi in piazza del Duomo, ...(8)..... a destra, troverai tre scalini e un soldo per terra; lascia stare i tre scalini, prendi il soldo e comprati una gomma da masticare.

● Nonno, tu non sai proprio raccontare le storie, le sbagli .....(9)..... Però la gomma da masticare .....(10)..... compri lo stesso.

● Va bene: eccoti il soldo! E il nonno tornò a leggere il suo giornale...

da Favole al telefono di Gianni Rodari

1.	☐ a. si chiamò	☐ b. si chiamava	☐ c. era
2.	☐ a. le	☐ b. la	☐ c. si
3.	☐ a. nel	☐ b. sul	☐ c. in
4.	☐ a. costa	☐ b. è	☐ c. fa
5.	☐ a. Come	☐ b. Dove	☐ c. Quanto
6.	☐ a. so	☐ b. quando	☐ c. cammino
7.	☐ a. Chi	☐ b. Quale	☐ c. Quello
8.	☐ a. gira	☐ b. torna	☐ c. sali
9.	☐ a. alcune	☐ b. molte	☐ c. tutte
10.	☐ a. se la	☐ b. me la	☐ c. te la

2   Quali espressioni usa la bambina per contraddire quello che dice il nonno?

3   Nel testo ci sono alcuni verbi irregolari al passato remoto. Sottolineateli.

4   I verbi che al passato remoto presentano delle irregolarità (1ª e 3ª persona singolare, 3ª plurale), seguono però dei modelli comuni. In base a questa osservazione cercate di completare la tabella.

Verbi irregolari (II)

molti verbi in -dere e -ndere

verbo	io	tu	lui/lei/Lei	noi	voi	loro
chiedere	chiesi	chiedesti	chiese	chiedemmo	chiedeste	chiesero
chiudere	chiusi	chiudesti		chiudemmo		
decidere	decisi					
prendere	presi	prendesti	prese	prendemmo	prendeste	presero
rispondere	risposi					

in -ncere e -ngere

vincere	vinsi	vincesti	vinse	vincemmo	vinceste	vinsero
convincere	convinsi					
piangere	piansi					

in -gliere

scegliere	scelsi	scegliesti	scelse	scegliemmo	sceglieste	scelsero
togliere	tolsi					

La lista completa dei verbi irregolari in Appendice a pagina 184.

10 - 12

D   E la storia continua...

   1   Lavorate in coppia. Fate l'abbinamento.

a. *Tempio della Concordia*, Agrigento (V* sec. a. C.)   **c.** *Castel Nuovo*, Napoli (XIII sec.)

b. *Palazzo Ducale*, Venezia (XIV sec.)   **d.** *Duomo*, Milano (XIV-XV sec.)

*I numeri romani in Appendice, a pagina 184.

2 Eravamo rimasti agli imperatori romani! Osservando la linea del tempo che segue, raccontate cos'è successo secondo l'esempio: "Nel 330 dopo Cristo Costantino trasferì la capitale dell'Impero a Costantinopoli".

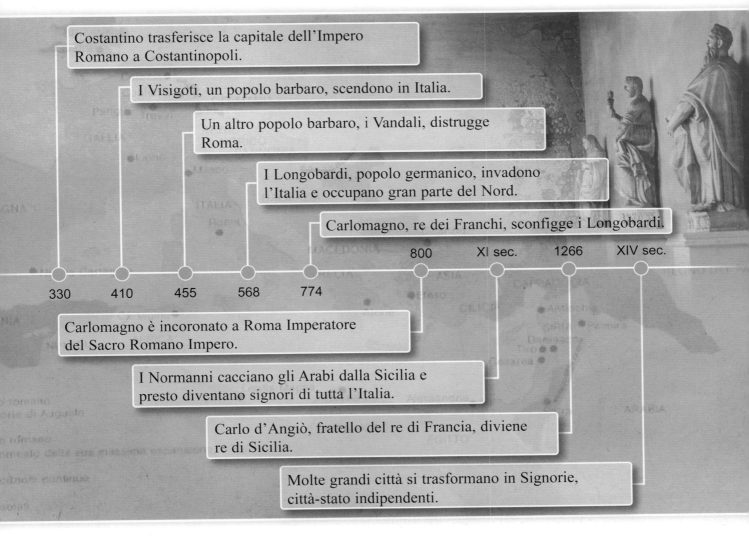

Costantino trasferisce la capitale dell'Impero Romano a Costantinopoli.

I Visigoti, un popolo barbaro, scendono in Italia.

Un altro popolo barbaro, i Vandali, distrugge Roma.

I Longobardi, popolo germanico, invadono l'Italia e occupano gran parte del Nord.

Carlomagno, re dei Franchi, sconfigge i Longobardi.

330   410   455   568   774   800   XI sec.   1266   XIV sec.

Carlomagno è incoronato a Roma Imperatore del Sacro Romano Impero.

I Normanni cacciano gli Arabi dalla Sicilia e presto diventano signori di tutta l'Italia.

Carlo d'Angiò, fratello del re di Francia, diviene re di Sicilia.

Molte grandi città si trasformano in Signorie, città-stato indipendenti.

3 Osservate queste frasi e completate la tabella.   13 e 14

Dopo che i Franchi **ebbero sconfitto** i Longobardi, Carlomagno divenne imperatore.
Dopo che la famiglia dei Medici **fu salita** al potere, Firenze cominciò a fiorire.

Il trapassato remoto

Cambiai idea dopo che mi **ebbero raccontato** tutto.

Solo quando i giornalisti .... **entrati**, il presidente iniziò a parlare.

Il *trapassato remoto* si usa raramente in frasi introdotte da **quando**, **dopo che**, **non appena**, **appena (che)**; esprime un'azione avvenuta prima di un'altra espressa con il *passato remoto*.

15 e 16

4 Leggete i due testi e abbinate le affermazioni a quello corrispondente.

Perugia, Palazzo comunale e Fontana maggiore

Lorenzo il Magnifico

A

I Comuni

Dopo l'anno Mille, la piazza divenne il nuovo centro vitale delle città: nelle piazze principali di molte città italiane si trovano ancor oggi la cattedrale e i palazzi del potere cittadino.

In questo periodo le invasioni barbariche cessarono e, grazie alla ripresa del commercio, le città lentamente si svilupparono e diventarono Comuni, con consoli eletti direttamente dai cittadini.

La popolazione era allora divisa in tre classi: i nobili, ricchi proprietari di terra; i "borghesi", la nuova classe formata da mercanti e professionisti; infine, il popolo, cioè contadini e lavoratori che non avevano diritto di voto. La scelta del console, perciò, era ristretta alle famiglie più potenti della città, nobili e in seguito anche borghesi, che spesso entravano in conflitto tra loro.

B

Signorie e Principati

Nel XIV secolo molti Comuni, già in mano a poche famiglie ricche, videro l'ascesa di un Signore, che divenne capo assoluto della città. Questo potere si trasmetteva di padre in figlio e così i cittadini persero il diritto di eleggere i propri rappresentanti.

I Signori cercavano di espandere il proprio dominio ed erano frequenti guerre sanguinose con le città vicine: l'idea di un'Italia unita era ovviamente molto lontana.

Nello stesso tempo, alcuni Signori amanti della cultura chiamarono nelle loro corti i migliori artisti dell'epoca per abbellire le città di opere d'arte, che ancora oggi è possibile ammirare.

Tra queste famiglie ricordiamo a Firenze quella dei Medici, ricchi banchieri. Lorenzo De' Medici, detto *il Magnifico*, fece di Firenze una vera e propria città-museo. Altre famiglie che accolsero artisti nelle loro corti furono gli Sforza a Milano, gli Este a Ferrara e i Montefeltro a Urbino.

adattato da L'Italia dal Medioevo al Rinascimento

La piazza di San Gimignano

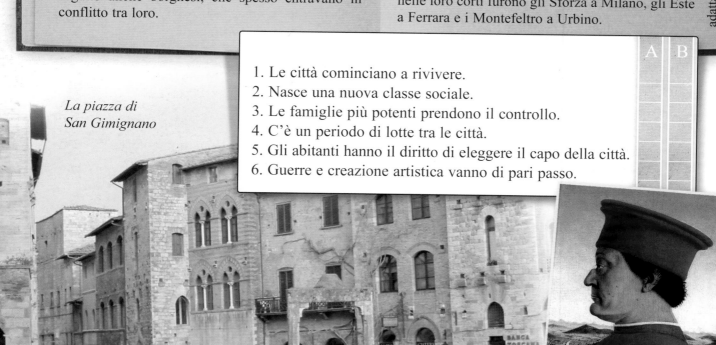

	A	B
1. Le città cominciano a rivivere.		
2. Nasce una nuova classe sociale.		
3. Le famiglie più potenti prendono il controllo.		
4. C'è un periodo di lotte tra le città.		
5. Gli abitanti hanno il diritto di eleggere il capo della città.		
6. Guerre e creazione artistica vanno di pari passo.		

Federico da Montefeltro

5   Nei due testi precedenti abbiamo visto gli avverbi "lentamente" e "ovviamente". Da quali aggettivi derivano? Osservate e completate la tabella:

Avverbi di modo

ver**o**-ver**a**	⇨ È **veramente** strano quello che ha detto.	
sincer**o**-sincer**a**	⇨ **Sinceramente** non mi va di uscire.	-*a* ⇔ amente
ovvi**o**-ovvi**a**	⇨ Lui .... ha negato tutto!	
decis**o**-decis**a**	⇨ Fulvio è **decisamente** simpatico.	
fort**e**	⇨ Ha **fortemente** difeso le sue idee.	
apparent**e**	⇨ **Apparentemente** ha fatto un ottimo lavoro.	-*e* ⇔ emente
veloc**e**	⇨ Devi agire quanto più .... puoi.	
ma: diffici**le**	⇨ **Difficilmente** mi fido di lui.	*le* ⇔ lmente
fina**le**	⇨ Sono arrivati? ....!	*re* ⇔ rmente
particola**re**	⇨ Sono **particolarmente** curioso.	

17 e 18

E   Abilità

1   **Ascolto** Quaderno degli esercizi

2   **Parliamo**

1. Si dice "Popolo che non ricorda la sua storia non ha futuro". Cosa ne pensate?
2. Qual è il periodo della storia (del vostro paese o internazionale) che vi affascina di più e per quale motivo?
3. Che cosa sapete della vita quotidiana ai tempi dei Romani e nel Medioevo?
4. Quali sono gli avvenimenti più importanti della storia del vostro paese (nell'antichità o nell'epoca moderna)? Parlatene in breve.

Il banchetto di un Signore del '400

3   **Scriviamo**

1. Raccontate un avvenimento (o un periodo) della storia che ritenete molto importante o affascinante, giustificando anche la vostra scelta. *(100-120 parole)*
2. Un tuo amico, sapendo che studi l'italiano, ti chiede se sai qualcosa della storia d'Italia, dall'antichità a oggi. In base alle pagine precedenti e a quelle che seguono, scrivigli un'e-mail per riassumere in breve quello che ricordi. *(120-140 parole)*

Test finale

Brevissima storia d'Italia

Dalle Signorie al dominio straniero

Nel '400 l'Italia era divisa in Signorie, cioè in piccoli stati indipendenti spesso in lotta tra loro. Fu questo un periodo di intensa attività culturale, da cui prese origine il *Rinascimento*. La divisione del territorio italiano in piccoli stati, deboli di fronte alle grandi potenze europee dell'epoca, provocò frequenti occupazioni straniere. In pratica dal 1500 al 1800 l'Italia fu sempre in mani straniere: francesi, spagnoli e nell'Ottocento gli austriaci si contesero parti del territorio della Penisola tra guerre e distruzioni.

Alcuni stati, comunque, conservarono in gran parte la loro indipendenza, soprattutto le Repubbliche di Venezia e di Genova, il Ducato di Savoia (che comprendeva il Piemonte e la Sardegna) e lo Stato della Chiesa.

Verso l'Indipendenza

Nonostante tanti anni di occupazioni, a partire dal 1800 lo spirito d'indipendenza si diffuse a poco a poco lungo tutta la penisola. Nella seconda metà del secolo e dopo vari tentativi falliti, tutto cambiò grazie all'abilità diplomatica del conte di Cavour, primo ministro dello Stato del Piemonte, e al coraggio di uomini come Garibaldi, che con soli mille uomini

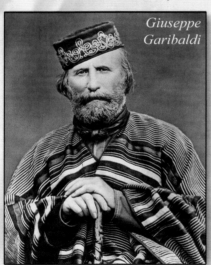

Giuseppe Garibaldi

liberò l'intera Sicilia e giunse fino a Napoli. Nel 1861 il Parlamento proclamò* Vittorio Emanuele II re d'Italia. Infine, nel 1870 l'esercito italiano entrò a Roma, che da secoli apparteneva allo Stato della Chiesa, trasferendovi la capitale del Regno d'Italia.

Dall'Unità al fascismo

All'indomani dell'Unità, l'Italia era però un Paese povero e con grandi differenze tra il Nord e il Sud. Tanta era la povertà che milioni d'italiani emigrarono* in America.

Nonostante i grandi problemi sociali interni, nel 1915 l'Italia partecipò alla I Guerra mondiale, dalla quale uscì tra i paesi vincitori, ma pagando un alto prezzo: ben 700.000 morti!

Dopo la guerra, tormentata* ancora da una grave crisi socio-economica, l'Italia vide l'ascesa* di Mussolini: è il cosiddetto "ventennio fascista" (1922-1943) durante il quale si creò un regime* autoritario* e antidemocratico, basato sulla violenza e la paura.

Mussolini, il *Duce*, cercò con la propaganda di otte-

SE TU MANGI TROPPO DERUBI LA PATRIA

Il regime cercava di controllare la vita degli italiani dovunque, perfino a tavola; altro famoso slogan dell'epoca era "Taci! Se parli tradisci la patria"! Erano arrivati ad abolire* la stretta di mano come saluto...*

nere il consenso* del popolo e di diffondere idee come la "superiorità" del popolo italiano e la gloria della patria. Il suo scopo era riportare l'Italia alle glorie dell'antica Roma, ma condusse il Paese alla disastrosa alleanza con Hitler e all'entrata in guerra nel 1941. Per l'Italia, la II Guerra mondiale finisce ufficialmente il 25 aprile 1945. Tre giorni dopo Mussolini moriva fucilato. Quando gli alleati arrivano nel Nord Italia, i partigiani, cioè i cittadini che durante la "Resistenza" presero le armi contro i nazisti e i fascisti, avevano già liberato molte città.

Leggete i testi di questa pagina e mettete in ordine cronologico gli avvenimenti.

☐ a. Garibaldi libera l'Italia del Sud.

☐ b. Il Nord Italia è sotto il dominio austriaco.

☐ c. Molti italiani emigrano all'estero.

☐ d. Roma diventa capitale d'Italia.

☐ e. Per l'Italia inizia la II Guerra mondiale.

☐ f. Mussolini prende il potere.

☐ g. L'Italia ha 700.000 vittime di guerra.

☐ h. In Italia nasce il Rinascimento.

Il dopoguerra, il "boom" economico, gli "anni di piombo"

Dopo la fine della guerra, l'Italia è un Paese da ricostruire completamente, sia dal punto di vista politico-economico che sociale.

Nel 1946 un referendum* popolare proclamò la fine della Monarchia e l'inizio della Repubblica mentre nel 1948 ci furono le prime elezioni realmente democratiche.

Negli anni '50 e '60 l'Italia visse un periodo di grande sviluppo, tanto che si parlò di "boom" economico (vedi pagina 36). Tuttavia restavano grandi le differenze tra il Nord e il Sud del Paese: molti furono coloro che emigrarono dalle regioni del "Mezzogiorno" verso i grandi centri industriali italiani (Milano e Torino) e del Centro Europa (Svizzera, Germania, Francia e Belgio).

Con gli anni '70 inizia uno dei periodi più sanguinosi* della storia italiana, quello del terrorismo: tra gli eventi più tristemente noti, il rapimento* e l'uccisione, nel 1978, di Aldo Moro, un importante uomo politico, e la strage* alla stazione di Bologna nel 1980, che provoca 85 morti e 200 feriti.

Tra il XX e il XXI secolo

Gli anni '80 sono un periodo molto diverso: "divertirsi", "comprare", "apparire", sono le nuove parole d'ordine, diffuse anche dai primi canali TV privati nazionali.

Gli anni '90 in Italia iniziano con un grande scandalo politico, chiamato "Tangentopoli" (o "mani pulite"), che porta alla luce un vasto sistema di corruzione* diffuso in tutto il sistema politico del Paese. In questo decennio ha inizio un altro fenomeno importante: l'arrivo di centinaia di migliaia di immigrati* provenienti dai paesi dell'Europa dell'Est, dall'Africa, ma anche dalla Cina e dai paesi arabi, che fanno dell'Italia un paese multietnico.

All'inizio del nuovo secolo, l'evento più importante è stato l'arrivo dell'euro, la moneta unica che dal 2002 ha sostituito le singole valute dei paesi europei, dando inizio a una nuova storia per l'Italia, ancora più legata al futuro dell'Europa.

Glossario: <u>proclamare</u>: dichiarare, annunciare pubblicamente in forma ufficiale; <u>emigrare</u>: lasciare il proprio paese, o la propria regione, per trasferirsi in un paese straniero, o in un'altra regione; <u>tormentato</u>: sottoposto a dure difficoltà; <u>ascesa</u>: salita al potere; <u>regime</u>: forma di governo, sistema politico; <u>autoritario</u>: non democratico; <u>consenso</u>: approvazione, giudizio favorevole; <u>patria</u>: paese, nazione; <u>abolire</u>: eliminare; <u>referendum</u>: votazione in cui il popolo è chiamato ad esprimersi su questioni di interesse nazionale; <u>sanguinoso</u>: molto violento; <u>rapimento</u>: portare via con sé qualcuno con la violenza; <u>strage</u>: uccisione violenta di un gran numero di persone; <u>corruzione</u>: dare o ricevere denaro in cambio di comportamenti illegali; <u>immigrato</u>: chi si è trasferito, ad esempio, in Italia abbandonando il proprio paese.

Leggete i testi e indicate le affermazioni veramente presenti.

Attività online

☐ 1. Dal 1946 l'Italia non ha più un re.

☐ 2. La maggior parte degli immigrati provengono dall'Albania.

☐ 3. Grazie all'operazione "mani pulite" cambia la scena politica.

☐ 4. Negli anni '60 i lavoratori italiani emigrano anche verso altre città italiane.

☐ 5. Vittima del terrorismo è anche la gente comune.

☐ 6. Negli ultimi anni la situazione economica del Sud è migliorata molto.

Autovalutazione
Che cosa ricordate delle unità 3 e 4?

1. Sapete...? Abbinate le due colonne.

1. precisare
2. fare un paragone
3. chiedere informazioni
4. contraddire qualcuno
5. rispondere a un'accusa

a. Ma cosa dici?
b. Può dirmi il prezzo della matrimoniale?
c. Gli piace più viaggiare che lavorare.
d. Oggi. Voglio dire, stasera.
e. Posso spiegare tutto.

2. Abbinate le frasi.

1. Che lavoro fa?
2. Hanno litigato, eh?
3. Ti chiamo uno di questi giorni.
4. Mi hai un po' confuso.
5. Ti sei trovata bene?

a. Ci conto!
b. Allora mi spiego meglio.
c. Come a casa mia.
d. Mi sa che è ingegnere.
e. Niente affatto!

3. Completate o rispondete.

1. Due popoli che occuparono territori italiani nell'era moderna ....
2. Quanti anni durò il fascismo in Italia? ....
3. Quale dialetto fu alla base dell'italiano standard? ....
4. Il passato remoto di *fare* (terza pers. singolare): ....
5. L'avverbio che deriva da *facile* ....

4. Scoprite, in orizzontale e in verticale, le dieci parole relative alla storia e ai viaggi.

E	M	I	R	B	A	T	E	V	I
R	E	S	E	Q	G	I	S	U	S
I	D	U	S	U	E	P	E	G	B
L	I	S	I	G	N	O	R	I	A
A	O	P	S	O	Z	E	C	O	G
Z	E	S	T	B	I	K	I	D	A
F	V	I	E	M	A	S	T	Y	G
J	O	C	N	V	O	L	O	X	L
U	N	I	Z	P	O	R	T	O	I
E	S	F	A	S	C	I	S	M	O

Verificate le vostre risposte a pagina 203.
Siete soddisfatti?

Castello di Ferrara (Emilia Romagna)

Per cominciare...

1   Lavorate in coppia. Ascoltate solo le battute di Elisabetta cercando di capire che problemi ha Pierluigi e che soluzioni gli propone lei. Poi completate brevemente la tabella che segue.

problema / abitudine	soluzione proposta

2   Secondo voi, quale abitudine di Pierluigi fa più male alla salute? E dei consigli di Elisabetta qual è il più importante? Scambiatevi idee.

3   Ascoltate l'intero dialogo e indicate le affermazioni veramente presenti.

    ☐ 1. Pierluigi dorme circa 6 ore al giorno.
    ☐ 2. Elisabetta crede che uno dei problemi di Pierluigi sia lo stress.
    ☐ 3. Secondo Elisabetta, il sonno è importantissimo.
    ☐ 4. Elisabetta crede che sia importante mangiare bene.
    ☐ 5. Pierluigi va a letto molto tardi.
    ☐ 6. A Pierluigi non piace fare sport.
    ☐ 7. La fidanzata di Pierluigi è un tipo sportivo.
    ☐ 8. Pierluigi pensa di andare in piscina.
    ☐ 9. Elisabetta consiglia a Pierluigi di prendere delle vitamine.
    ☐ 10. A Pierluigi piace l'idea delle vitamine.

In questa unità...

1. ...impariamo a esprimere pareri, opinioni, speranze, a porre condizioni, a chiedere e a dare il permesso di fare qualcosa, a parlare del viver sano;

2. ...conosciamo il modo congiuntivo presente e passato e il suo uso nelle proposizioni subordinate;

3. ...troviamo informazioni sugli italiani e lo sport.

A   Sei troppo stressato!

1   Leggete il dialogo per verificare le vostre risposte all'attività precedente.

Elisabetta: Ultimamente hai una faccia stanca. Come mai? Non dormi abbastanza?

Pierluigi: Mah, veramente non molto. Spesso mi rigiro nel letto per ore. Ovviamente, il giorno dopo mi sento molto stanco, debole...

Elisabetta: Si vede, infatti. Secondo me, sei troppo stressato.

Pierluigi: Lo so, ma è possibile oggi non essere stressati, con questi ritmi frenetici? Tu come fai a essere sempre così fresca? La notte dormi parecchio, vero?

Elisabetta: No, non più di tanto. Il sonno è fondamentale, ma non pensare che sia sufficiente per stare bene. Per esempio, dubito che tu abbia mangiato qualcosa stamattina.

Pierluigi: Beh, è vero, ho bevuto solo un caffè, come al solito.

Elisabetta: Ecco, vedi? Allora è logico che tu non abbia energie. Non fai sport, o sbaglio?

Pierluigi: Ma con gli orari che ho, com'è possibile che io trovi il tempo per farlo?

Elisabetta: Almeno il fine settimana potresti fare jogging, no?

Pierluigi: Sì, ci manca solo questo! Mi pare di sentire la mia fidanzata! Lei va in piscina tre volte alla settimana e insiste perché faccia sport anch'io.

Elisabetta: E ha ragione, sei troppo pigro! Almeno prendi delle vitamine, in commercio esistono molti tipi di integratori, anche se non credo che basti...

Pierluigi: Invece sì! Questa è un'idea che mi piace! Penso proprio che questo sia più semplice che fare jogging!

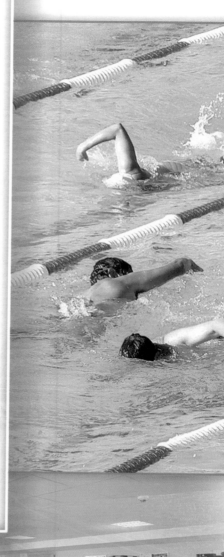

2 Lavorate in coppia. Scegliete le affermazioni giuste.

1. Quando Elisabetta dice "non più di tanto" intende che: a. non dorme come un tempo, b. non dorme molto

2. E poi dice "Ecco, vedi?" come per dire: a. "Lo sapevo", b. "Hai capito?"

3. Infine, Pierluigi dice "Sì, ci manca solo questo!" perché: a. è da tempo che non fa jogging, b. non pensa proprio di fare jogging

3 Ormai Pierluigi sembra deciso a fare dei cambiamenti; ne parla, quindi, con la sua fidanzata, Chiara. Completate il loro dialogo con le parole date.

Pierluigi:	Sai, ultimamente mi sento un po' debole. Penso che ....*sia*.... colpa del fatto che dormo poco.
Chiara:	Io credo che tu .... molto stressato, amore. E, poi, non mangi per niente bene, senza contare che dovresti fare più movimento...
Pierluigi:	Uffa, non ricominciare! Ok, hai ragione: è ora che io .... le mie abitudini!
Chiara:	Sì, dici sempre così, ma poi non lo fai mai!
Pierluigi:	No, no! Penso di ricominciare ad andare in palestra... almeno un paio di volte al mese! Poi dovrei dormire di più: credo che otto ore di sonno ....
Chiara:	Se guardi la tv tutte le sere fino all'una, non credo tu possa dormire molto.
Pierluigi:	È vero, basta anche con la tv! A meno che non ci sia qualche bella partita, ovvio, un bel film... E, infine, comprerò degli integratori, sembra che .... molto bene.
Chiara:	Tesoro, sono contenta che tu .... decisioni tanto importanti! Meglio tardi che mai! Spero però che questa volta tu .... veramente quello che dici!

cambi

abbia

preso

sia

sia

facciano

bastino

faccia

4 Rispondete alle domande. *(15-20 parole)*

1. Quali decisioni ha preso Pierluigi? ....

....

2. Su che cosa sono d'accordo Chiara ed Elisabetta? ....

....

5   Nel dialogo introduttivo abbiamo visto frasi come:

"...è logico che tu non *abbia* energie."

"Penso proprio che *sia* più semplice che fare jogging!"

Cercate di completare la tabella con le forme mancanti.

Congiuntivo presente

	are ⇨ i	ere ⇨ a	ire ⇨ a / isca
	parlare	**prendere**	**partire**
	Angela pensa che:	*Bisogna che:*	*È necessario che:*
io	parl**i**	prend**a**	part**a**
tu	parl**i**	....	part**a**
lui, lei	.... *molto.*	prend**a** *delle*	part**a** *subito.*
noi	parl**iamo**	prend**iamo** *vitamine.*	....
voi	parl**iate**	prend**iate**	part**iate**
loro	parl**ino**	prend**ano**	part**ano**

ma:	**essere**	**avere**	**finire**
	Lei spera che:	*Può darsi che:*	*Anna vuole che:*
io	**sia**	**abbia**	fin**isca**
tu	**sia**	....	fin**isca**
lui, lei	.... *sempre*	**abbia** *ragione.*	fin**isca** *presto.*
noi	**siamo** *d'accordo.*	**abbiamo**	fin**iamo**
voi	**siate**	**abbiate**	fin**iate**
loro	**siano**	**abbiano**	fin**iscano**

6   Osservando la tabella formate delle frasi mettendo il verbo tra parentesi al congiuntivo.

1. Signorina, non è certo che il Suo volo *(partire)* in orario.
2. Bisogna che tu *(lavorare)* di meno, sembri molto stanco.
3. Se non spedisci il pacco subito può darsi che io non lo *(ricevere)* in tempo.
4. Mi pare che voi non *(avere)* voglia di lavorare seriamente.
5. È necessario che noi *(arrivare)* prima di loro.
6. Signora, mi sembra che Lei *(preoccuparsi)* senza motivo.

 1 - 3

7   Nelle pagine precedenti abbiamo incontrato le frasi: "dubito che tu *abbia mangiato* qualcosa" e "sono contenta che tu *abbia preso* decisioni così importanti". **Osservate:**

Congiuntivo passato

Diana crede che io **abbia parlato** male di lei, ma non è vero.
Può darsi che **abbiano perso** il treno, per questo sono in ritardo.

Non credo che tu **sia venuta** solo per chiedermi scusa!
Sono contento che voi **siate riusciti** a superare il test finale.

Secondo voi, qual è la differenza tra il congiuntivo presente e quello passato?

➡ 4 - 6

B   Fa' come vuoi!

1   Ascoltate i mini dialoghi e abbinateli alle foto. Attenzione, c'è una foto in meno!

2   Ascoltate di nuovo e completate con le espressioni che avete sentito:

Permettere - Tollerare

1. ....   2. *Fa' come ti pare!*

3. ....   4. ....   5. ....

3 Sei *A*: dici a *B* che:

- *probabilmente farai tardi al vostro appuntamento*
- *gli/le comprerai qualcosa per il suo compleanno*
- *non gli/le puoi dare in prestito tutti i cd che ti ha chiesto*
- *devi assolutamente usare il suo cellulare*
- *vorresti usare di nuovo il suo computer*
- *prenderai la sua bici perché il tuo motorino non va*

Sei *B*: rispondi ad *A* usando le espressioni viste al punto 2.

4 Nei dialoghi precedenti, abbiamo incontrato alcuni verbi irregolari ("non credo tu *possa* dormire molto", "Spero però che tu *faccia* quello che dici"). Osservate e completate la tabella con le forme mancanti.

Verbi irregolari al congiuntivo

Come vedete, le forme irregolari del congiuntivo presente
si formano in base alla prima persona singolare dell'indicativo presente dei verbi.

Infinito	Indicativo	Congiuntivo presente			
andare	vado	**vada**	**andiamo**	**andiate**	**vadano**
dire	dico	**dica**	**diciamo**	**diciate**	**dicano**
fare	faccio	....	**facciamo**	**facciate**	**facciano**
venire	vengo	**venga**	**veniamo**	**veniate**	**vengano**
potere	posso	**possa**	**possiamo**	**possiate**	....
ma:					
dare	do	**dia**	....	**diate**	**diano**
dovere	devo	**debba**	**dobbiamo**	**dobbiate**	**debbano**
sapere	so	**sappia**	**sappiamo**	....	**sappiano**
stare	sto	**stia**	**stiamo**	**stiate**	**stiano**

Una lista più completa si trova in Appendice a pagina 185.

5 Completate le frasi osservando la tabella.

1. È necessario che *(venire)* anch'io? Mi aspettano gli amici in piazza...
2. Non credo che quei due *(stare)* più insieme, probabilmente si sono lasciati.
3. Non è giusto che voi *(andare)* a spasso mentre io resto a casa a studiare!
4. Laura pensa che tu le *(dovere)* chiedere scusa per il tuo comportamento.
5. Ma è possibile che in questa casa nessuno mi *(dare)* mai una mano?
6. La mia ragazza vuole che io *(fare)* una vita più sana.

 7 e 8

C   Come mantenersi giovani

1   Lavorate in coppia. In basso sono dati alla rinfusa alcuni fattori che ci mantengono giovani o che ci fanno invecchiare: inseriteli nella colonna che ritenete giusta e confrontate le vostre scelte con i compagni.

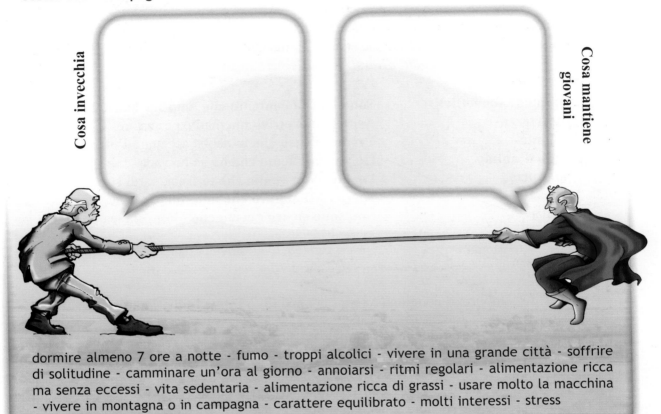

Cosa invecchia

Cosa mantiene giovani

dormire almeno 7 ore a notte - fumo - troppi alcolici - vivere in una grande città - soffrire di solitudine - camminare un'ora al giorno - annoiarsi - ritmi regolari - alimentazione ricca ma senza eccessi - vita sedentaria - alimentazione ricca di grassi - usare molto la macchina - vivere in montagna o in campagna - carattere equilibrato - molti interessi - stress

2   Rispondete alle domande.

1. In base alle informazioni del punto 1, pensate di condurre una vita sana che vi aiuterà a mantenervi in forma anche in futuro? Parlatene.

2. In base alle informazioni ricavate dalla discussione in classe, consigliate a un vostro compagno cosa fare per migliorare la propria salute.

3. Osservate la foto a destra. Quanto credete sia equilibrata la vostra alimentazione (quantità - qualità)?

4. La lista di sopra vi ha convinto a cambiare qualcosa? In genere pensate di cambiare qualche abitudine?

3   Scrivete ad un amico una lettera in cui annunciate e motivate la vostra decisione di cambiare stile e ritmo di vita. *(100-120 parole)*

4 Secondo voi, quando usiamo il congiuntivo? In coppia, abbinate le due colonne, come nel-l'esempio. Verificate le vostre ipotesi a pagina 185.

Uso del congiuntivo (I)

Usiamo il congiuntivo in frasi dipendenti da altre che esprimono generalmente soggettività, volontà, incertezza, stato d'animo ecc., ma solo *quando i due verbi hanno soggetti diversi*. In particolare quando esprimono:

Opinione soggettiva	**Sono felice / contento che** tutto sia andato bene.
Incertezza	**Aspetto che** arrivi mia madre per uscire.
Volontà	**Credo / Penso che** tu debba accettare l'offerta.
Stato d'animo	**Ho paura / Temo che** lui se ne vada.
Speranza	**Voglio / Non voglio che** tu faccia tardi stasera.
Attesa	**Spero / Mi auguro che** tutto finisca bene.
Paura	**Non sono sicuro / certo che** Mario sia leale.

Attenzione! Se una frase, esprime certezza o oggettività usiamo l'indicativo:
*-Sono sicuro che lui **è** un amico. / -So che **è partito** ieri. / -È chiaro che **hai** ragione.*

Inoltre, il congiuntivo si usa con verbi o forme **impersonali**:

Bisogna che voi torniate presto.
Può darsi che Tiziana non possa venire con noi.
Si dice che Carlo e Lisa si siano lasciati.
Pare / Sembra che siano ricchi sfondati.
È bene che siate venuti presto.
(non) { **È necessario / importante che** io parta subito.
È possibile / impossibile che tutti siano andati via.
È probabile / improbabile che lei sappia già tutto.

La lista completa delle forme che richiedono il congiuntivo in Appendice a pagina 185.

5 Usate il congiuntivo dove necessario, come nell'esempio.

> Luigi ha dei problemi. *(credo)*
> *Credo che Luigi abbia dei problemi.*

1. I nuovi giocatori sono veramente bravi. *(sono certo)*
2. Decide sempre lui, in fin dei conti è il capo! *(è giusto)*
3. Anna ce l'ha fatta da sola. *(dubito)*
4. Fa' presto! Siamo già in ritardo. *(bisogna)*
5. Vengono anche gli zii per le feste? *(sai se)*
6. La lezione sta finendo... sono stanco morto. *(spero)*

 9 - 11

D Viva la salute!

1 Confrontate queste due foto. Quale tipo di esercizio fisico preferite e perché? Scambiatevi idee.

2 Lavorate in coppia. Ascoltate l'intervista all'istruttore di una palestra. Prendete appunti e confrontateli con quelli del vostro compagno.

3 Ascoltate di nuovo e indicate le affermazioni corrette.

1. La palestra è frequentata da persone
   a. prevalentemente anziane
   b. intorno ai 15 anni
   c. sui 40 anni
   d. dai 15 anni in su

2. I servizi offerti comprendono
   a. idromassaggio e tennis
   b. massaggio e sauna
   c. sport di squadra per bambini
   d. aerobica per bambini

3. Generalmente c'è più gente
   a. la mattina presto
   b. nel pomeriggio
   c. intorno alle 20.00
   d. dopo le 20.00

4. La palestra
   a. ha sempre più clienti
   b. ha sempre meno clienti
   c. ha meno clienti in estate
   d. ha più clienti dopo l'estate

4 Leggete queste affermazioni. A quali dei punti (1-4) dell'attività precedente corrispondono?

a. C'è chi si iscrive a una palestra *nonostante* finisca di lavorare tardi.
b. La palestra offre molti servizi *affinché* i clienti possano scegliere le attività che preferiscono.

5 Osservate di nuovo le frasi del punto precedente e poi la tabella che segue:

Uso del congiuntivo (II)

Usiamo il congiuntivo anche dopo alcune congiunzioni:

benché / sebbene **nonostante / malgrado**	Luca mi ha invitato, **nonostante** mi *conosca* poco.
purché / a condizione che **a patto che / basta che**	Viene con noi, **a condizione che** *scelga* lei il locale.
senza che	Andrò allo stadio, **senza che** i miei lo *sappiano*.
nel caso (in cui)	**Nel caso** ci *sia* uno sciopero, vi verrò a prendere.
perché / affinché	Ti dirò tutto, **affinché** tu *capisca* che la colpa non è mia.
prima che	Dobbiamo fare gol **prima che** finisca il primo tempo. *ma:* Passerò da casa mia *prima di venire* da te.
a meno che / (tranne che)	Verrà, **a meno che** non piova molto!

In Appendice, a pagina 186, troverete altre forme che richiedono il congiuntivo.

6 Completate le frasi con le congiunzioni date a fianco.

1. Ti dirò cos'è successo, ... tu non lo dica a nessuno.
2. Le presterò il mio motorino, ... non abbia molta esperienza.
3. Rodolfo è qui alla festa .... nessuno lo abbia invitato.
4. Gli telefono subito, ... faccia in tempo a prepararsi.
5. .... siano divorziati, continuano a vivere insieme.

nonostante
sebbene
purché
affinché
senza che

➡ 12 - 15

7 Finora abbiamo visto due tempi del congiuntivo, il presente ("credo che lei *mangi* poco") e il passato ("credo che lei *abbia mangiato* poco"). Secondo voi, quando li usiamo? Osservate:

La concordanza dei tempi del congiuntivo

Quando il verbo della frase principale è al presente abbiamo queste alternative:

Credo che Laura
- **faccia** / farà un buon lavoro. (*domani, nel futuro*)
- **faccia** un buon lavoro. (*oggi, nel presente*)
- **abbia fatto** un buon lavoro. (*ieri, nel passato*)

➡16

E   Attenti allo stress!

1   Chi di voi si sente stressato? Quali cose vi stressano e come reagite quando siete sotto stress?

2   Ogni cambiamento nella vita può causare stress. Quali sono, secondo voi, le prime cinque cause in questa lista elaborata da un gruppo di psicologi? Lavorate in coppia e alla fine scambiatevi idee tra coppie. (La lista completa in Appendice a pagina 195)

☐ Cambiamento abitudini personali
☐ Difficoltà economiche
☐ Figlio/a che lascia la casa
☐ Fine di una relazione sentimentale
☐ Cambiamento situazione economica
☐ Problemi familiari
☐ Frequentare una nuova scuola

☐ Esame importante
☐ Perdita del lavoro
☐ Gravidanza
☐ Lite con un amico
☐ Problemi nel lavoro / a scuola
☐ Cambiamento di casa
☐ Matrimonio

3   Ascoltate le persone che parlano e descrivete la situazione che affronta ognuno di loro.

Alfredo R., 30 anni: ....
Paola L., 24 anni: ....
Pietro M., 19 anni: ....
Domenico F., 28 anni: ....

4   Ascoltate di nuovo, questa volta consultando a pagina 195 la graduatoria che hanno preparato gli psicologi: quale persona è più stressata, secondo voi?

5   Osservate i disegni e raccontate, oralmente o per iscritto, la storia.

6 Leggete il testo e indicate le cinque affermazioni effettivamente presenti.

Come non parlare di calcio

Io non ho nulla contro il calcio. Non vado negli stadi per la stessa ragione per cui non andrei a dormire di notte nei sotterranei della Stazione Centrale di Milano, ma se mi capita mi guardo una bella partita con interesse e piacere alla televisione, perché riconosco e apprezzo tutti i meriti di questo nobile gioco. Io odio gli appassionati di calcio.

Non amo il tifoso perché ha una strana caratteristica: non capisce perché tu non lo sei, ma insiste nel parlarne con te. Per far capire bene cosa intendo dire faccio un esempio. Io suono il flauto dolce. Supponiamo ora che mi trovi in treno e chieda al signore di fronte a me, per attaccare discorso:

- "Ha sentito l'ultimo cd di Frans Bruggen?"
- "Come, come?"
- "Dico la *Pavane Lachryme*. Secondo me rallenta troppo all'inizio."
- "Scusi, non capisco."
- "Ah, ho capito, Lei non..."
- "Io non."
- "Curioso... Lo sa che per avere un flauto *Coolsma* fatto a mano bisogna attendere tre anni? Ma Lei ci arriva fino alla quinta variazione di *Derdre D'Over*?"
- "Veramente io vado a Parma..."
- "Ah, ho capito, Lei suona in F non in C. Non userà mica una tecnica tedesca?"
- "Io sinceramente i tedeschi..., la BMW sarà una gran macchina e li rispetto, ma..."
- "Ho capito. Usa una tecnica barocca. Ma..."

Ecco, non so se abbia reso l'idea. Lo stesso più o meno avviene con il tifoso. La situazione è particolarmente difficile con il tassista.

- "Ha visto Del Piero?"
- "No, deve essere venuto mentre non c'ero."
- "Ma stasera guarda la partita?"
- "No, devo occuparmi del libro Zeta della Metafisica, sa, lo *Stagirita*."
- "Bene. Io credo che non sia affatto facile vincere, Lei che ne dice?"

E via dicendo, come parlare al muro. Il problema è che lui non riesce a concepire che a qualcuno non importi niente di queste cose.

adattato da *Il secondo diario minimo* di Umberto Eco

1. Umberto Eco non è mai andato allo stadio.
2. Eco odia le persone che si interessano solo di calcio.
3. Nel primo episodio parla con un passeggero che va a Parma.
4. I due uomini non hanno gli stessi interessi.
5. Il passeggero preferisce la musica italiana a quella tedesca.
6. Il tassista è un amante del calcio.
7. Lo scrittore non sa a quale partita si riferisca il tassista.
8. A Eco dà fastidio il fatto che il tassista non ami la letteratura.

Umberto Eco al flauto dolce

 7 Secondo voi, per quali motivi Eco non ama andare allo stadio? E a voi piace? Motivate le vostre risposte.

8 Abbiamo imparato quando si usa il congiuntivo, adesso impariamo quando non usarlo!

QUANDO *NON* USARE IL CONGIUNTIVO!

Attenzione!
Usiamo l'**infinito** o l'**indicativo** e **non il congiuntivo** nei seguenti casi:

stesso soggetto
Penso che tu *sia* bravo. *ma* **Penso di** *essere* bravo. (io)

espressioni impersonali
Bisogna che tu *faccia* presto. *ma* **Bisogna / È meglio** *fare* presto.

secondo me / forse / probabilmente
Secondo me, *hai* torto. / **Forse** lui non *vuole* stare con noi.

anche se / poiché / dopo che
L'Inter ha vinto **anche se** non *ha giocato* bene.

---

17 e 18

F   Vocabolario e abilità

1 Abbinate gli oggetti agli sport. Cosa sapete e cosa pensate di ogni sport?

ciclismo   tennis   nuoto   calcio   pallavolo   pallacanestro

2 **Ascolto** Quaderno degli esercizi

3 **Situazione**

Sei *A*: ultimamente sei ingrassato/a di qualche chilo. Un amico/un'amica (*B*) cerca di convincerti ad andare in palestra, o almeno a fare un po' di dieta, anche per motivi di salute. Ma tu, poiché sei un po' pigro/a, inventi sempre delle scuse.

4 **Scriviamo**

Negli ultimi 50 anni lo sport è diventato un importantissimo fenomeno sociale: sempre più spettatori e telespettatori, sempre più denaro investito. Però non mancano i problemi. Quali sono, secondo te? Nonostante questo, cosa ci offre lo sport? *(120-160 parole)*

Test finale

Lo sport in Italia

Come dimostra il sondaggio Eurobarometro, gli italiani non sono un popolo molto sportivo. Più che praticare qualche sport, preferiscono seguirlo dal vivo o in tv. Il grande successo delle trasmissioni e dei quotidiani sportivi ne è la prova.

Il **calcio** è senza dubbio lo sport più popolare e quello che ha portato i maggiori successi: la nazionale di calcio, i famosi *Azzurri*, ha vinto quattro volte i mondiali. D'altra parte, il *Campionato** italiano è molto spettacolare, poiché ospita anche grandi giocatori stranieri: le squadre italiane spendono grosse somme* per acquistare giocatori bravi e famosi, così sono riuscite a conquistare tantissimi titoli in campo nazionale e internazionale. L'antagonismo* è molto forte, specialmente tra squadre della stessa città: Milan e Inter, Juventus e Torino, Roma e Lazio.

La **pallacanestro** e la **pallavolo** sono sport molto seguiti e praticati. Le squadre italiane di pallacanestro hanno conquistato non pochi titoli a livello europeo e mondiale. Le squadre di pallavolo hanno fatto ancora di più: grazie anche al sostegno di grandi sponsor, sono da anni considerate le migliori del mondo; altrettanti successi ha ottenuto la nazionale.

Il **ciclismo** ha in Italia una lunga tradizione con molti praticanti dilettanti*, ma anche squadre di professionisti. Famoso è il *Giro d'Italia* le cui durissime tappe* coprono nei mesi di maggio-giugno l'intero paese e attirano non solo l'interesse di tanti spettatori e telespettatori, ma anche i migliori ciclisti del mondo, a caccia della mitica "maglia rosa".

L'**automobilismo** è molto seguito in Italia, soprattutto per merito della *Ferrari*. Non è tanto importante che vincano i piloti italiani di *Formula 1*, ma che la scuderia* di Maranello, che ha milioni di sostenitori in tutto il mondo, conquisti Gran Premi e Campionati, anche con piloti stranieri al volante*. Se il "cavallino rampante*" vince al Gran Premio di Monza, allora l'entusiasmo è ancora più grande.

Popolarissime sono anche le gare di moto, grazie ai successi dei piloti italiani, come ad esempio Valentino Rossi considerato tra i più grandi di tutti i tempi, ma anche della *Ducati*.

Sport, infine, come l'**atletica leggera**, il **nuoto** e lo **sci** hanno dato all'Italia importanti vittorie alle Olimpiadi e ai Campionati del mondo.

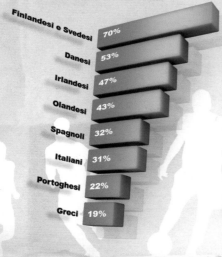

Secondo un sondaggio Eurobarometro

Praticano un'attività sportiva o fanno esercizio fisico almeno una volta alla settimana:

- Finlandesi e Svedesi 70%
- Danesi 53%
- Irlandesi 47%
- Olandesi 43%
- Spagnoli 32%
- Italiani 31%
- Portoghesi 22%
- Greci 19%

Le prime 25 attività sportive praticate in Italia	
Calcio/calcetto	4.363.000
Nuoto	3.480.000
Ginnastica	2.204.000
Fitness/palestra	1.405.000
Sci/snowboard	2.060.000
Ciclismo	1.321.000
Tennis	1.298.000
Atletica leggera	995.000
Pallavolo	988.000
Pallacanestro	606.000
Bodybuilding	555.000
Danza	333.000
Pesca	323.000
Karate	244.000
Alpinismo*	197.000
Pesi	202.000
Bocce*	171.000
Pattinaggio	166.000
Equitazione*	156.000
Sub	143.000
Judo	136.000
Vela	127.000
Motociclismo	74.000
Golf	59.000
Tiro a segno	51.000
Tiro con l'arco	46.000

Glossario: <u>campionato</u>: serie di gare sportive per dare il titolo di campione al migliore atleta o alla migliore squadra; <u>somma</u>: quantità non precisata di denaro; <u>antagonismo</u>: rivalità, competizione; <u>dilettante</u>: che si dedica ad un'attività sportiva non per professione, ma per divertimento; <u>tappa</u>: nel giro ciclistico, la strada che si percorre in un giorno; <u>scuderia</u>: squadra di auto o di moto da corsa; <u>al volante</u>: alla guida dell'auto; <u>rampante</u>: detto di cavallo che solleva da terra le zampe anteriori; <u>alpinismo</u>: sport in cui si scalano le montagne, ci si arrampica sulle pareti delle montagne; <u>bocce</u>: gioco in cui vince chi manda le proprie palle, le bocce, più vicino al punto dov'è il pallino, il boccino; <u>equitazione</u>: andare a cavallo, svolgere gare sportive a cavallo; <u>ridotto</u>: reso più piccolo.

1. Le "Squadre Azzurre" di maggior successo sono quelle

☐ a. di ciclismo e di nuoto
☐ b. di calcio e di pallavolo
☐ c. di pallavolo e di pallacanestro
☐ d. di automobilismo e di atletica leggera

2. Le squadre italiane di calcio

☐ a. ottengono spesso successi a livello internazionale
☐ b. non hanno ancora vinto titoli europei
☐ c. non sono tanto ricche
☐ d. fanno giocare solo calciatori italiani

3. La *Ferrari*

☐ a. ha vinto più volte il Giro d'Italia
☐ b. ha sempre avuto piloti stranieri
☐ c. ha tifosi dappertutto
☐ d. ha sede a Monza

*Il **calcetto** è uno sport molto diffuso in Italia. Si tratta di calcio giocato tra squadre di cinque giocatori, ovviamente in campi di misure ridotte*.*

Il Giro d'Italia: una gara sempre durissima e, nello stesso tempo, affascinante. Organizzato per la prima volta nel 1909 da La Gazzetta dello Sport (il colore rosa della sua carta spiega il colore della maglia riservata al vincitore), copre circa 4.000 km. L'Italia può contare tra i più grandi ciclisti del mondo: Fausto Coppi e Gino Bartali (foto in alto) negli anni '40 e '50, Francesco Moser negli anni '80, Marco Pantani negli anni '90 e tanti altri.

*La **ginnastica** (artistica e ritmica) ha dato all'Italia diverse soddisfazioni, con le "giovani-azzurre" che a volte hanno ottenuto dei buoni successi. Ma l'atleta più titolato è Jury Chechi, cinque volte campione del mondo e una volta olimpionico.*

*Ogni inverno milioni di italiani si dedicano allo **sci**, una disciplina sportiva che ha dato molte soddisfazioni all'Italia, soprattutto a partire dagli anni '70.*

Attività online

Autovalutazione
Che cosa ricordate delle unità 4 e 5?

1. Sapete...? Abbinate le due colonne.

1. contraddire qualcuno
2. permettere
3. tollerare
4. esprimere incertezza
5. precisare

a. Vuoi invitare anche Carla? Fai pure!
b. A me non piace... però fa' come vuoi!
c. Non sono sicuro che sia andata così.
d. Lei è mia nipote, cioè la figlia di mia sorella.
e. Ma quale piazza, mamma? Sono stato a scuola!

2. Abbinate le frasi. Nella colonna a sinistra c'è una frase in più.

1. Alla fine pensi di studiare Medicina?
2. Mario lavora molte ore sebbene...
3. Ho saputo che si sono lasciati!
4. Finalmente si sposano!
5. Suo padre lo porta con sé affinché...
6. Ma tu perché hai detto questa cosa?

a. Già! L'ho capito quando ho visto Luisa da sola alla festa.
b. Neanche per sogno! Mi iscriverò a Farmacia!
c. ...impari presto il lavoro.
d. Così, per attaccare discorso.
e. Eh, meglio tardi che mai!

3. Completate o rispondete.

1. Lo sport di Fausto Coppi e quello di Valentino Rossi: ....
2. Altri due sport individuali che hanno dato vittorie all'Italia: ....
3. Due sport con il pallone: ....
4. Non richiede mai il congiuntivo: *perché / forse/ prima che*
5. Il congiuntivo presente (prima pers. sing.) di *leggere* e di *dire*: ....

4. Scegliete la parola adatta per ogni frase.

1. La Ferrari ha già vinto tre *gare/tappe/partite* di Formula 1 quest'anno.
2. Ti dirò tutto *tranne che/a patto che/nel caso in cui* tu non dica niente a nessuno.
3. Secondo me è *opportuno/impossibile/necessario* che Anna abbia parlato così.
4. Hai dei problemi perché non fai *buona alimentazione/sport/vita sedentaria*.
5. Per secoli l'Italia è stata sotto l'*immigrazione/indipendenza/occupazione* straniera.

Verificate le vostre risposte a pagina 203. Siete soddisfatti?

Pompei, Campania

Per cominciare...

1 Alcuni di voi forse sanno poche cose sull'opera lirica... o almeno così credono. Di seguito vi diamo dei titoli di libri, opere liriche e film italiani. In coppia indicate quelli relativi alla lirica.

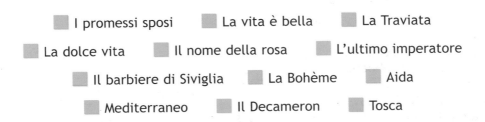

☐ I promessi sposi   ☐ La vita è bella   ☐ La Traviata

☐ La dolce vita   ☐ Il nome della rosa   ☐ L'ultimo imperatore

☐ Il barbiere di Siviglia   ☐ La Bohème   ☐ Aida

☐ Mediterraneo   ☐ Il Decameron   ☐ Tosca

2 Ascoltate l'inizio del dialogo (fino alla battuta "Perché, a Lei non piace?") e in coppia fate delle ipotesi:

a. dove e tra chi si svolge il dialogo?
b. che cosa si diranno in seguito le due persone?

3 Ascoltate ora l'intero dialogo verificando le vostre ipotesi. Indicate poi le affermazioni giuste.

1. La ragazza chiede un permesso per andare a
☐ a. comprare un biglietto
☑ b. vedere un'opera lirica
☐ c. guardare una partita in tv

2. Il direttore preferisce
☐ a. ascoltare l'opera a casa
☐ b. andare all'opera
☑ c. guardare lo sport in TV

3. La ragazza cerca di convincerlo ad ascoltare
☑ a. l'opera con più attenzione
☐ b. l'opera insieme alla moglie
☐ c. l'opera in ufficio

4. Alla fine il direttore le chiede
☐ a. un biglietto per se stesso
☐ b. un biglietto per sua moglie
☐ c. dei biglietti per lui e la moglie

In questa unità...

1. ...impariamo a dare consigli, istruzioni, ordini, indicazioni stradali, a chiedere e dare il permesso, a parlare dei nostri gusti musicali;
2. ...conosciamo l'imperativo indiretto (forma di cortesia), gli aggettivi e i pronomi indefiniti;
3. ...troviamo informazioni sull'opera italiana, i compositori e i tenori italiani più famosi.

A   Compri un biglietto anche per...

1   Lavorate in coppia. Mettete il dialogo in ordine. Poi riascoltatelo per verificare le vostre risposte.

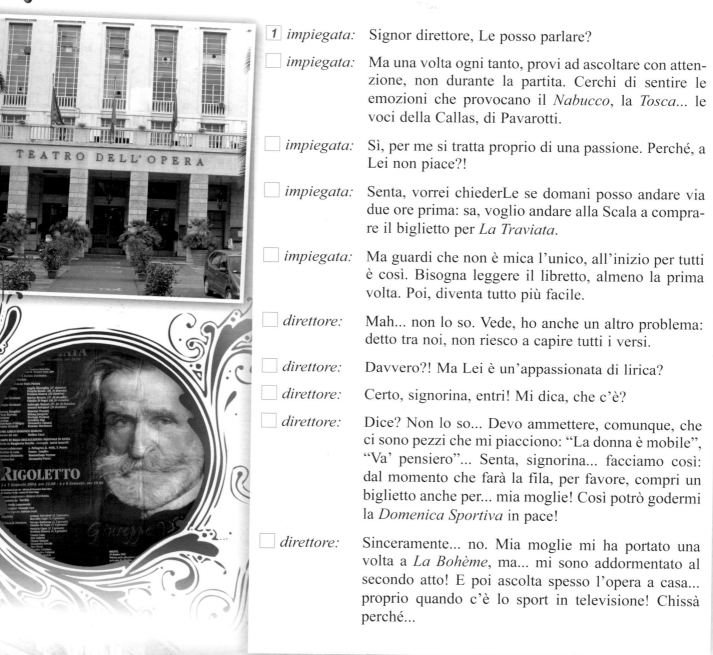

1 *impiegata:*	Signor direttore, Le posso parlare?	

impiegata: Ma una volta ogni tanto, provi ad ascoltare con attenzione, non durante la partita. Cerchi di sentire le emozioni che provocano il *Nabucco*, la *Tosca*... le voci della Callas, di Pavarotti.

impiegata: Sì, per me si tratta proprio di una passione. Perché, a Lei non piace?!

impiegata: Senta, vorrei chiederLe se domani posso andare via due ore prima: sa, voglio andare alla Scala a comprare il biglietto per *La Traviata*.

impiegata: Ma guardi che non è mica l'unico, all'inizio per tutti è così. Bisogna leggere il libretto, almeno la prima volta. Poi, diventa tutto più facile.

direttore: Mah... non lo so. Vede, ho anche un altro problema: detto tra noi, non riesco a capire tutti i versi.

direttore: Davvero?! Ma Lei è un'appassionata di lirica?

direttore: Certo, signorina, entri! Mi dica, che c'è?

direttore: Dice? Non lo so... Devo ammettere, comunque, che ci sono pezzi che mi piacciono: "La donna è mobile", "Va' pensiero"... Senta, signorina... facciamo così: dal momento che farà la fila, per favore, compri un biglietto anche per... mia moglie! Così potrò godermi la *Domenica Sportiva* in pace!

direttore: Sinceramente... no. Mia moglie mi ha portato una volta a *La Bohème*, ma... mi sono addormentato al secondo atto! E poi ascolta spesso l'opera a casa... proprio quando c'è lo sport in televisione! Chissà perché...

2 Leggete queste frasi e indicate qual è lo scopo comunicativo che hanno nel dialogo.

1. Il direttore dice "detto tra noi..." (8) perché
☐ a. ha già detto all'impiegata che non capisce tutti i versi
☐ b. non vuole che altri sappiano che non capisce tutti i versi
☐ c. sa che nessuno capisce tutti i versi

2. L'impiegata dice al direttore "Ma guardi che..." (9) come per dirgli
☐ a. che deve stare attento
☐ b. che si deve preoccupare
☐ c. che non deve preoccuparsi

3. Il direttore dice "Senta, signorina... facciamo così..." (10)
☐ a. per fare una proposta all'impiegata
☐ b. perché di solito fa così
☐ c. per chiedere l'opinione dell'impiegata

4. Il direttore, alla fine, dice "dal momento che farà la fila" (10) intendendo dire che
☐ a. per l'impiegata sarà lo stesso comprare un biglietto in più
☐ b. l'impiegata si deve sbrigare per trovare i biglietti
☐ c. l'impiegata avrebbe dovuto chiedere il permesso prima

3 Leggerete ora un dialogo in cui i ruoli sono capovolti; completatelo con questi verbi:
mi spieghi, mi dica, compri, Scusi, Vada, si accomodi, Provi.

impiegata:	Direttore, posso entrare? Le vorrei parlare un attimo.
direttore:	Certo, signorina, ... pure.
impiegata:	Vorrei solo chiederLe un favore: potrei andare via un po' prima domani?
direttore:	Penso di sì. Ci sono dei problemi, per caso?
impiegata:	Veramente voglio andare a comprare i biglietti per un concerto di Ligabue.
direttore:	No, non .... che anche a Lei piace la musica rock! Ma .... una cosa: come fa ad ascoltare queste cose?
impiegata:	........................, ma secondo Lei che tipo di musica dovrebbe ascoltare una ragazza della mia età, l'Opera?
direttore:	Esatto! .... una volta ad andare ad uno spettacolo di musica lirica e mi capirà! .... a vedere la *Tosca* o il *Rigoletto*, ... un cd di Pavarotti o di Bocelli: scoprirà un bellissimo mondo nuovo.
impiegata:	Direttore, se mi permette, La trovo molto cambiato rispetto al dialogo della pagina precedente!!!

4 Scrivete un breve riassunto *(60-70 parole)* del dialogo introduttivo.

5 Nel dialogo introduttivo abbiamo visto verbi come "entri", "dica", "guardi", "senta" **ecc.**
Completate la tabella con le forme mancanti.

Imperativo diretto		Imperativo indiretto (forma di cortesia)	
Usiamo le forme del *presente indicativo*		Usiamo le forme del *congiuntivo presente*	
-ARE			
tu	Mario, *parla* più piano!	**Lei**	.... in italiano, capisco!
noi	*Parliamo* un po'!		
voi	Ragazzi, *parlate* in italiano!	Loro	Parlino più piano, per favore!*
-ERE			
tu	*Prendi* un'aspirina e ti passerà!	**Lei**	**Prenda** qualcosa, offro io!
noi	*Prendiamo* un caffè, offre lui!		
voi	*Prendete* il metrò, è più veloce!	Loro	Prendano appunti, è importante!*
-IRE			
tu	*Finisci* e vieni, ti voglio parlare!	**Lei**	Signorina, ... la lettera!
noi	*Finiamo* di studiare e usciamo!		
voi	*Finite* presto, sono già le sette!	Loro	Finiscano presto, per favore!*

* Questa forma è ormai desueta e presente solo in vecchi testi scritti o in ambiti molto formali (incontri diplomatici, ristoranti di lusso). In Appendice a pagina 186 i verbi *essere* e *avere*.

6 Osservando la tabella precedente completate oralmente le frasi.

1. Se compra *Il Messaggero*, avvocato, *(leggere)* il mio articolo!
2. Professore, *(scusare)*, può ripetere la spiegazione?
3. La prego, *(fare)* presto, non ho molto tempo a disposizione!
4. Mi raccomando, ragazzi, *(vedere)* questo film: ne vale la pena!
5. *(Sentire)*, dottor Fini, il dolore non è passato, che faccio?

7 Ascoltate i mini dialoghi e indicate i 4 usi dell'imperativo veramente presenti ( ). Poi ascoltate di nuovo e scrivete il numero del dialogo nel relativo quadratino ( ). Attenzione: ad alcuni usi corrisponde più di un dialogo.

dare...

   istruzioni ☐☐   consigli ☐☐   indicazioni ☐☐   spiegazioni ☐☐

   il permesso ☐☐   ordini ☐☐   ✔ informazioni 1 ☐

8 Cercate di scrivere una frase per ciascuno dei 4 casi che abbiamo appena visto.

B   Due tenori fenomeno

1   Lavorate in coppia. Ognuno di voi dovrà leggere uno dei testi che seguono e poi farne un breve riassunto al compagno.

Enrico Caruso (1873-1921), napoletano, è considerato una leggenda della musica lirica, grazie alla sua straordinaria voce e alla sua appassionata teatralità. Ecco alcune curiosità della sua vita:

- Fu il diciottesimo di ben ventuno figli, ma solo il primo a superare l'infanzia. Iniziò a cantare nel coro ecclesiastico locale.

- Quando lasciò il suo lavoro di meccanico per dedicarsi al canto, il padre lo cacciò di casa. Un giorno disse della sua gioventù: "Ero spesso affamato, ma mai infelice".

- Aveva solo 25 anni quando divenne famoso a livello mondiale con la prima assoluta di *Fedora* al Teatro Lirico di Milano nel 1898. Debuttò al Metropolitan di New York il 23 novembre 1903 nel *Rigoletto*. Lì, in 18 stagioni cantò 607 volte in 37 opere diverse!

- Al di là di una brillante carriera e dei dischi di enorme successo (in cui cantò anche bellissime canzoni napoletane), c'era però il suo dramma intimo: le minacce della mafia americana, il tradimento della sua compagna, i problemi di salute.

- Nonostante la malattia polmonare, che gli provocava addirittura emorragie in scena e che lo portò alla morte a soli 48 anni, non volle mai cancellare una serata. Mentre il pubblico delirava, lui cercava di nascondere a tutti i costi la propria sofferenza.

adattato da *www.opera.it*

Luciano Pavarotti (1935-2007) ha avuto un grandissimo successo nel mondo della musica classica, riuscendo ad attrarre numerosi nuovi fans. Una voce emozionante e una personalità unica hanno reso il nome di Pavarotti famoso in tutto il mondo.

Nasce a Modena nel 1935 e scopre la passione per l'opera già da bambino. Il suo debutto avviene il 29 aprile del 1961 al Teatro di Reggio Emilia, con *La Bohème*. Seguono interpretazioni di grande successo in tutta Italia e in Europa.

Ma è nel 1972 che scoppia il fenomeno Pavarotti al Metropolitan di New York. Il grande tenore ha cantato nei teatri più prestigiosi del mondo. I suoi cd, dei veri e propri best-sellers, comprendono numerose arie, recital, ma anche antologie di canzoni napoletane e italiane in genere. Le sue frequenti apparizioni televisive hanno aumentato la sua notorietà.

I suoi spettacolari concerti hanno riempito gli stadi e i parchi più grandi del mondo: quasi 200.000 persone in Hyde Park a Londra; più di 500.000 in Central Park a New York (e milioni di telespettatori in tutto il mondo); 300.000 a Parigi.

Impegnato socialmente, ha realizzato molti concerti di beneficenza, i famosi *Pavarotti and friends*, con la partecipazione di numerose stelle: Bono, Elton John, Laura Pausini (foto in basso), Zucchero, Celine Dion, Sting, Eros Ramazzotti, Andrea Bocelli e tanti altri ancora.

adattato da *www.lucianopavarotti.it*

2 Leggete il testo che non avevate letto e abbinate le affermazioni che seguono al personaggio corrispondente (C: Caruso, P: Pavarotti).

C / P

1. È diventato tenore contro la volontà dei genitori.
2. È scomparso all'inizio del XX secolo.
3. Ha collaborato con cantanti di altri generi musicali.
4. Come professionista non ha cantato solo in teatri.
5. Grazie a lui molte persone si sono avvicinate all'opera.
6. È apparso anche in tv.
7. Ha lavorato a lungo negli Stati Uniti.
8. Nonostante il successo, ha affrontato duri ostacoli nella vita.

3 Secondo voi, questi due tenori si sono mai incontrati?! Eppure, sì: la canzone *Caruso*, di Lucio Dalla, cantata anche da Pavarotti, è ispirata alle ultime ore del tenore napoletano. Completatela scegliendo tra le parole date.

Qui dove il mare luccica* e tira forte il vento,
su una vecchia terrazza ....(1) golfo di Surriento*,
un uomo abbraccia una ragazza dopo che ....(2),
poi si schiarisce la voce e ricomincia il canto:
"Te voglio bene assaie*, ma tanto tanto bene sai,
è una catena ormai che scioglie il sangue dint'e vene* sai".
Vide le luci ....(3) mare e pensò alle notti là in America,
ma erano solo le lampare* e la bianca scia* di un'elica*.
Sentì il dolore nella musica si alzò dal pianoforte,
ma quando vide la luna uscire da una nuvola
......................(4) sembrò più dolce anche la morte.
Guardò negli occhi la ragazza, ...(5) occhi verdi come il mare,
poi all'improvviso uscì una lacrima e lui credette di affogare*.
Potenza della lirica, dove ogni dramma è un falso,
con un po' di trucco e ....(6) mimica, puoi diventare un altro.
Ma due occhi che ti guardano così vicini e veri,
ti fan scordare le parole, confondono i pensieri.
Così diventa tutto piccolo, ...(7) le notti là in America,
ti volti e vedi la tua vita come la scia di un'elica...
ma sì, è la vita che finisce, ma lui non ....(8) pensò poi tanto,
anzi si sentiva già felice e ricominciò il suo canto:
"Te voglio bene assaie..."

(1) **a.** davanti al,
    b. sotto il, **c.** dal

(2) **a.** ha pianto,
    b. aveva pianto,
    c. piangeva

(3) **a.** tra il,
    b. nel mezzo del,
    c. in mezzo al

(4) **a.** gliela, **b.** gli, **c.** si

(5) **a.** quelli, **b.** quei,
    c. quegli

(6) **a.** con la,
    b. per la,
    c. alla

(7) **a.** ma, **b.** sia,
    c. anche

(8) **a.** ci, **b.** lo, **c.** ne

luccicare: splendere; Surriento: Sorrento, città vicino a Napoli; assaie (dialetto napoletano): assai, molto; dint'e (dial. napol.): dentro le; lampara: barca con una lampada per la pesca; scia: la traccia che lascia una barca sull'acqua; elica: girando sott'acqua fa muovere la nave; affogare: morire soffocato nell'acqua.

4 Nel dialogo di pagina 87 abbiamo visto alcune forme dell'imperativo di cortesia: "mi spieghi", "si accomodi", "mi dica". Come le trasformereste usando il "tu"?

5 Completate la tabella.

L'imperativo con i pronomi

Imperativo diretto	Imperativo indiretto
Dammi dieci euro!	.... **dia** dieci euro, per favore!
Prendi la busta e *portala* al direttore!	Prenda la busta e .... **porti** al direttore!
Gliel'hai detto? *Diglielo*!	Gliel'ha detto? **Glielo dica**!
Fa freddo: *vestitevi* bene!	Fa freddo signori: **si vestano** bene!
Ti prego, *pensaci* con calma!	La prego, ... **pensi** con calma!
Vattene! Mi dai fastidio!	**Se ne vada**, signore! Mi dà fastidio!

Con l'imperativo di cortesia, mettiamo il pronome sempre prima del verbo.

6 Completate le frasi con l'imperativo indiretto.

1. Per favore, dottore, *(dirmi)* i risultati delle mie analisi!
2. Se vede la signora Bianchi, *(salutarla)* da parte mia!
3. Per cortesia, *(sedersi)* vicino a me, Le voglio parlare!
4. Ha qualche documento con Lei? *(darmelo)* per favore!

4 e 5

7 La canzone *Caruso* narra una storia tragica e parla d'amore, così come molte opere liriche hanno come soggetto la gelosia, l'amore infelice ecc. Commentate questa foto e poi rispondete alle domande.

1. Secondo voi, quanto è importante l'amore nella vita?

2. Che differenza c'è tra l'innamorarsi di una persona e amarla?

3. C'è chi dice che amore e gelosia vanno di pari passo: siete d'accordo? Chi di voi è particolarmente geloso e come lo manifesta?

C Giri a destra!

1 Ascoltate il dialogo e indicate a quale delle due cartine si riferiscono le indicazioni.

a.

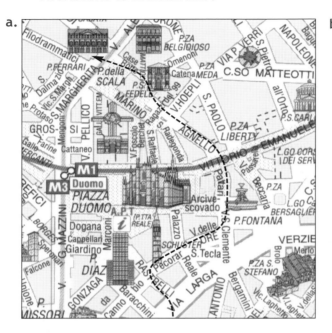

b.

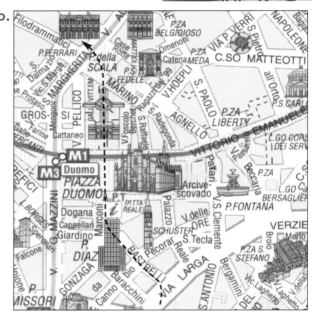

2 Ascoltate di nuovo e indicate le frasi che avete sentito.

☐ 1. mi faccia pensare un attimo...

☐ 2. non ci vada a piedi...

☐ 3. prenda il metrò, conviene...

☐ 4. sa a quale fermata scendere?

☐ 5. alla seconda traversa giri a destra...

☐ 6. vada diritto e si troverà in Piazza Duomo...

☐ 7. se tu cammini verso il Duomo...

☐ 8. la attraversi e si troverà in una...

Role-play

3 *A* chiede ad un passante (*B*) come andare:

● *dal cinema Cinecittà al punto 1*

● *dal punto 2 alla farmacia*

● *dal punto 3 alla Rinascente*

● *dal punto 4 alla Coop*

● *dal punto 5 alla Banca Nazionale*

● *dal punto 2 al Ristorante La Bella Toscana*

B, gentilmente, dà le indicazioni necessarie.

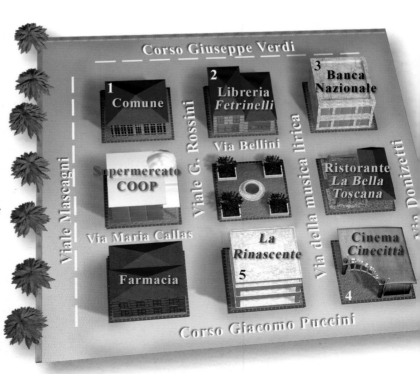

4 Nel dialogo precedente abbiamo ascoltato forme come "non ci vada a piedi". **Completate la tabella.**

La forma negativa dell'imperativo

Imperativo diretto			Imperativo indiretto		
-ARE					
tu	*Non andare* ancora via!		**Lei**	**Non** .... via, per favore!	
noi	*Non andiamo* con loro!				
voi	*Non andate* alla festa!		Loro	*Non vadano* via, signori!*	
-ERE					
tu	*Non credere* a queste cose!		**Lei**	Ma **non** .... a queste bugie!	
noi	*Non crediamo* a loro!				
voi	Ragazzi, *non credete* a lui!		Loro	Signori, *non credano* a lui!*	
-IRE					
tu	*Non partire* senza salutarmi!		**Lei**	**Non** .... con Stefano!	
noi	Domani pioverà: *non partiamo*!				
voi	*Non partite* subito!		Loro	*Non partano* stasera, signori!*	

La forma negativa con i pronomi

Non è buono: *non berlo*!	Non è fresco: **non lo beva**!
non lo bere!	
Non glielo dite, è una sorpresa!	Signora, **non glielo dica**, è una sorpresa!
Non diteglielo, è una sorpresa!	

Nella forma negativa dell'imperativo indiretto i pronomi precedono sempre il verbo, contrariamente all'imperativo diretto che ha due possibili costruzioni.

*Forme poco usate (cfr. nota a pagina 88).

5 Completate le seguenti frasi con l'imperativo indiretto.

1. Ha completamente ragione, signora, *(non dire)* niente!
2. *(Non avere)* fretta, dottor Tagliapiede! Ho un po' di paura!
3. Signori Marini, secondo le previsioni pioverà a dirotto: *(non uscire)* così!
4. Alla festa di stasera ci sarà anche la Sua ex, signor Martini: *(non andarci)*!
5. *(Non preoccuparsi)*, signor Frizzi, la Sua macchina sarà pronta fra un mese!!! 6 - 9

D Alla Scala

1 In coppia, leggete questo titolo di giornale che si riferisce a un fatto insolito avvenuto alla Scala di Milano. Secondo voi, cos'è successo? Scambiatevi idee.

Fischiato, lascia il palco.
L' "Aida" va avanti col sostituto.

"Radames veste Pr...

2 Ora ascoltate la notizia come l'ha trasmessa il giornale radio: erano giuste le vostre ipotesi?
Riascoltate di nuovo e cercate di capire:

1. Chi è Roberto Alagna e che cosa ha fatto di strano?
2. Chi l'ha sostituito?

3 Vediamo com'è apparsa la notizia sul giornale. Leggete l'articolo e indicate le affermazioni
corrette nella pagina successiva.

LUNEDÌ **11** DICEMBRE   S P E T T A C O L I

Incredibile sceneggiata alla Scala:
il pubblico attacca Alagna che abbandona.

Fischiato, lascia il palco.
L' "Aida" va avanti col sostituto.

"Radames veste Prada" ha commentato qualcuno.

Roberto Alagna prima di abbandonare il palco.

MILANO – Doveva essere una serata tranquilla, la prima vera rappresentazione dell'Aida dopo la prima del 7 dicembre, con meno mondanità e meno fotografi. E invece, ieri sera c'è stato il vero colpo di teatro che farà entrare nella leggenda questa serata. Il tenore Roberto Alagna, Radames, ha lasciato il palcoscenico subito dopo l'aria 'Celeste Aida' fischiata da una parte degli spettatori che non ha gradito alcuni suoi commenti sui giornali sulla competenza del pubblico.

La musica non si è mai interrotta e la direzione di palcoscenico ha gettato in scena Antonello Palombi, che fa parte del secondo cast dell'opera. Con addosso un paio di jeans e una camicia neri ("Radames veste Prada" ha commentato qualcuno), il tenore umbro è entrato in scena fra i "vergogna" rivolti dalla platea ad Alagna che non si è ripresentato.

Il primo tempo dello spettacolo è andato avanti così, con applausi, altri fischi e un pubblico perplesso per quanto stava succedendo (ma nessuno è andato via). Dopo l'intervallo è stato il sovrinten-dente Stephane Lissner a salire sul palco e a "manifestare il rincrescimento" del teatro per quanto era successo e a ringraziare Palombi, arrivato in scena senza riscaldamento e senza aspettarselo.

Intanto Alagna, dopo aver parlato con il sovrintendente Lissner ha lasciato il teatro. "Ho cantato in tutto il mondo e ho avuto successo – ha commentato Alagna – ma di fronte al pubblico di questa sera non potevo fare nient'altro! Il pubblico vero, quello con il fuoco, con il sangue, quello non c'era".

Il pubblico che c'era però è rimasto fino alla fine dell'Aida e ha ripagato con nove minuti di applausi Palombi. Che, molto soddisfatto della sua performance, ha raccontato così l'accaduto: "Mi hanno preso e buttato sul palco. Mi sono detto: ok, adesso si canta", anche se dal pubblico partivano frasi come "vergogna" rivolte ad Alagna. "Ma credo che chiunque avrebbe fatto lo stesso, siamo professionisti". Palombi stava seguendo la rappresentazione dalla direzione artistica. Di corsa, quando Alagna ha lasciato il palco, lo sono andati a prendere e lui si è trovato in scena con jeans e camicia "perché – ha scherzato – normalmente non mi vesto come Radames". "È stata una bella prova – ha concluso – l'ho superata!".

adattato dal Corriere della sera

1. Alcuni hanno fischiato il tenore perché
- a. aveva parlato male del pubblico
- b. aveva sbagliato un verso dell'opera
- c. si era presentato in jeans e maglietta
- d. non si era presentato sul palco

2. Roberto Alagna ha lasciato il palco e
- a. si è ripresentato poco dopo
- b. lo spettacolo è stato interrotto
- c. il pubblico è andato via
- d. un altro tenore l'ha sostituito

3. Antonello Palombi è salito sul palco
- a. dopo mezz'ora di preparazione
- b. senza alcuna preparazione
- c. già vestito da Radames
- d. indossando un costume qualsiasi

4. Alla fine il pubblico
- a. ha fatto un lungo applauso a Palombi
- b. ha fischiato Palombi
- c. ha fischiato il sovrintendente Lissner
- d. ha chiesto il rimborso del biglietto

4   **Lavorate in coppia. Cercate nell'articolo almeno un'informazione in più rispetto al servizio radiofonico. Se necessario riascoltate la notizia.**

5   **Nel testo abbiamo visto frasi come** "*alcuni* suoi commenti", "*nessuno* è andato via", "*quanto* era successo": **le parole in corsivo sono degli** *indefiniti*. **Completate la tabella e le frasi che seguono.**

Indefiniti come aggettivi e pronomi
Accompagnano o sostituiscono un nome:

altro/a - altri/e: *Ti piace questo libro o ne vuoi un ....?*

molto/a - molti/e: *Io non voglio fare molti soldi; soltanto qualche milione!*

tanto/a - tanti/e: *A tante persone la musica lirica non piace.*

poco/a - pochi/e: *A questa età ha ancora poche esperienze lavorative.*

quanto/a - quanti/e: *Sono d'accordo con .... dici.*

parecchio/a - parecchi/ie: *Domattina ho .... cose da fare.*

tutto/a - tutti/e: *Sono d'accordo con tutto quello che dici.*

troppo/a - troppi/e: *Secondo me, mangi troppo la sera.*

ciascuno/a: *Ciascun problema deve essere affrontato con calma.*

nessuno/a: *Nessuno è venuto.* **ma**: *Non è venuto nessuno.*

tale/i: *Ti ha telefonato un tale. / Io non ho tali problemi.*

alcuno/a (=nessuno/a) - **alcuni/e**: *Non ho .... (nessuna) voglia di uscire.*
        ma: *Alcune volte preferisco stare da solo.*

---

1. Purtroppo non posso rimanere; magari un' .... volta.
2. Non ti aspettavo, ... mi ha detto che saresti venuto!
3. Professore, con .... il rispetto, questo esercizio non mi piace!
4. .... di loro sono veramente bravi.
5. Era da .... tempo che non ci vedevamo.

 10 e 11

6 Riportiamo un famoso brano tratto da un'opera di Giuseppe Verdi, che forse come musica riconoscerete. Ascoltate il brano e mettetelo in ordine. Siete d'accordo con l'idea di donna espressa nel testo?

La donna è mobile dal *Rigoletto*

☐ *Pur mai non sentesi**
felice appieno*
chi su quel seno,
non liba* amore!

☐ *Sempre un amabile*
leggiadro* viso,
in pianto o in riso
è menzognero*.

☐ *La donna è mobile*
qual* piuma al vento,
muta d'accento
e di pensiero.

☐ *È sempre misero*
chi a lei s'affida,
chi le confida*
mal cauto* il core*!

<u>non sentesi</u>: non si sente; <u>appieno</u>: del tutto; <u>libare</u>: brindare, bere; <u>qual</u> (quale): come; <u>leggiadro</u>: bello, affascinante; <u>menzognero</u>: bugiardo; <u>confidare</u>: affidare; <u>mal cauto</u>: poco prudente, poco attento; <u>core</u>: cuore.

7 In coppia, scegliete una delle quattro parti del brano e in 10 parole cercate di spiegarne il significato.

8 Nelle pagine precedenti abbiamo visto anche: "ha commentato *qualcuno*", "indossando un costume *qualsiasi*". Osservate la tabella:

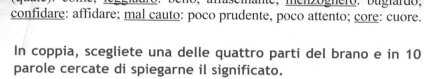

Indefiniti come aggettivi	Indefiniti come pronomi
Certe persone mi danno proprio ai nervi.	**Qualcuno** di voi è mai stato in Italia?

Alcuni indefiniti hanno valore di pronomi, cioè possono sostituire un nome e sono sempre al singolare, altri valore di aggettivi e possono solo accompagnare un nome.

La lista completa degli indefiniti in Appendice alle pagine 186 e 187.

A coppie indicate nelle frasi che seguono il valore degli indefiniti secondo l'esempio.

aggettivo   pronome
(accompagna)   (sostituisce)

1. Di **uno** come lui mi fiderei.
2. Mi puoi chiamare a **qualsiasi** ora.
3. **Qualche** volta dopo il lavoro mi sento stanchissimo...
4. Vuoi **qualcosa** da bere?
5. Quello che è successo a te potrebbe succedere a **chiunque**.
6. C'è una soluzione a **ogni** problema.

➡ 12 - 15

E   Vocabolario e abilità

1   **Vocabolario.** Abbinate le parole alle immagini.

a. costume, b. tenore, c. soprano, d. palcoscenico,
e. spettatore, f. maestro, g. pubblico, h. orchestra

 2   **Ascolto**   Quaderno degli esercizi

 3   **Situazione**

Sei *A*: Vai al botteghino di un teatro (lirico o meno) per comprare due biglietti per lo spettacolo di sabato o domenica prossimi. Chiedi informazioni su spettacoli, orari, prezzo del biglietto, posti ecc.
Sei *B*: consulta il materiale di pagina 198 e dai ad *A* le informazioni di cui ha bisogno.

 4   **Parliamo**

1. Qual è il vostro genere musicale preferito? Raccontate le vostre preferenze su pezzi e cantanti, gruppi ecc.
2. Cosa pensate dell'aria che abbiamo ascoltato e della musica lirica in generale? Quanto è apprezzato questo tipo di musica nel vostro paese, da chi e perché secondo voi?

 5   **Scriviamo**

Scrivete un'e-mail ad un amico italiano in cui raccontate le vostre esperienze durante un concerto (di musica classica o moderna) in cui è successo qualcosa di strano – ad esempio: parcheggio difficile; black out improvviso/improvviso temporale; tenore/cantante che lascia il palco all'improvviso – ... *(80-120 parole)*

 Test finale

L'opera italiana

L'Italia ha una lunghissima storia musicale che va da Vivaldi e Paganini a Nino Rota, Ennio Morricone e Nicola Piovani e dalla musica napoletana ai cantautori moderni. È in Italia che è nata e cresciuta la musica lirica. Non a caso, le opere più note sono di autori italiani, mentre "italiane" sono considerate anche quelle che il grande Mozart scrisse su libretti in lingua italiana.

L'opera italiana è famosa in tutto il mondo. Vediamo, in breve, i compositori* più importanti.

Figaro

Gioacchino Rossini (1792-1868)

Fu il primo grande compositore della musica lirica italiana: giovanissimo ebbe gran successo, ma a soli 37 anni, famoso e apprezzato in tutto il mondo, decise di ritirarsi per molti anni. Scrisse soprattutto opere buffe, cioè comiche, di cui le più importanti sono *L'italiana in Algeri* e *La gazza ladra*, ma anche drammatiche come *Guglielmo Tell*. Ma l'opera più nota di Rossini è sicuramente *Il barbiere di Siviglia*, in cui Figaro, furbo barbiere*, aiuta il conte di Almaviva a conquistare Rosina: un'opera molto divertente con delle bellissime musiche.

Giacomo Puccini (1858-1924)

Forse l'ultimo veramente grande della musica lirica, arrivò al trionfo con la sua terza opera, *Manon Lescaut*. Ancora più grande fu il successo de *La Bohème* che è la storia di Rodolfo e dei suoi spensierati* amici nella Parigi del 1830; storia che termina con la morte di Mimì, il suo amore. Qualche anno dopo, nel 1900, presentò una delle sue opere più note e tragiche, *Tosca*. La vicenda ruota intorno alla protagonista, Tosca appunto, che non riesce a salvare la vita al suo amante Cavaradossi e alla fine si suicida. Altre note opere di Puccini sono *Madama Butterfly* e *Turandot*, conclusa da un altro compositore, dopo la morte dell'artista.

La grande Maria Callas

1. Che cosa c'è di strano nella carriera di Rossini? Qual è la trama del *Barbiere di Siviglia*?
2. In cosa differiscono le storie di *La Bohème* e di *Tosca*?

Giuseppe Verdi (1813-1901)

Il "padre" della musica lirica, dovette affrontare difficili prove nella vita privata: in soli tre anni perse la moglie e i due figli! Ma Verdi era un uomo veramente forte; due anni dopo, nel 1842, ottenne il suo primo trionfo con il drammatico *Nabucco*. Di quest'opera famoso è il verso "Va' pensiero sull'ali dorate", cantato dagli Ebrei prigionieri che sognavano il ritorno in patria. Altrettanto grande fu il successo di *Macbeth*. In un periodo in cui l'Italia era sotto il dominio austriaco e cresceva lo spirito del Risorgimento*, Verdi diventò il simbolo dell'Indipendenza. Le sue opere erano eventi musicali e, nello stesso tempo, patriottici.

Tra il 1851 e il 1853 compose la grande trilogia* tragica. Nel *Rigoletto* il protagonista uccide per sbaglio sua figlia. Ne *Il Trovatore* una donna muore tra le braccia del suo amato, un misterioso eroe* popolare che si oppone all'invasione straniera. Infine, ne *La Traviata*, tratta dal romanzo "La signora delle camelie" di A. Dumas, Violetta, dopo varie sventure* e una lunga malattia, muore consolata dal suo Alfredo.

In seguito Verdi scrisse *I vespri siciliani*, storia della vittoria dei siciliani contro i francesi nel XIII secolo. Proprio in quel periodo sui muri i patrioti italiani scrivevano "Viva V.E.R.D.I.". In realtà, oltre ad onorare il grande musicista, intendevano lanciare un messaggio politico; l'acrostico*, infatti, significava Viva Vittorio Emanuele Re D'Italia.

Altri grandi successi furono *La forza del destino* e l'*Aida*, un'opera spettacolare, ambientata nell'antico Egitto, che Verdi compose per l'inaugurazione del Canale di Suez nel 1871. La sua morte, nel 1901, provocò grandissima commozione in tutta Italia perché con lui si spegneva non solo un genio del melodramma*, ma un vero eroe nazionale.

A destra, il finale della Cavalleria Rusticana, *capolavoro di Pietro Mascagni: Santuzza abbraccia Turiddu, che Alfio ha ammazzato per una questione d'onore.*

1. In questa opera di Verdi uno dei protagonisti perde un parente:

   ☐ a. *La Traviata*
   ☐ b. *Rigoletto*
   ☐ c. *Aida*
   ☐ d. *Nabucco*

2. Giuseppe Verdi fu tra l'altro:

   ☐ a. un bravo tenore
   ☐ b. il simbolo di un'Italia libera
   ☐ c. un sostenitore del re
   ☐ d. un bravo librettista

Glossario: <u>compositore</u>: musicista, chi scrive, compone opere musicali; <u>barbiere</u>: chi, per lavoro, fa la barba e taglia i capelli agli uomini; <u>spensierato</u>: sereno, che non ha preoccupazioni o pensieri tristi; <u>Risorgimento</u>: periodo storico (fine 1700-1870) in cui l'Italia raggiunge l'indipendenza e l'unità; <u>trilogia</u>: tre opere dello stesso autore che presentano elementi tematici o stilistici comuni; <u>eroe</u>: chi sacrifica anche la propria vita per un ideale; <u>sventura</u>: fatto che provoca danno, dolore; <u>camelia</u>: fiore; <u>acrostico</u>: acronimo, nome costituito da una o più lettere iniziali di altre parole; <u>melodramma</u>: opera lirica, dramma teatrale in versi cantato con accompagnamento musicale.

Andrea Bocelli, un tenore famoso in tutto il mondo grazie anche alla "musica leggera".

ANDREA BOCELLI
Verdi
PHILHARMONIC ORCHESTRA
ZUBIN MEHTA

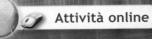
Attività online

Autovalutazione
Che cosa ricordate delle unità 5 e 6?

1. Abbinate le frasi.

1. Guarda che
2. È l'unica che
3. Ci andremo a meno che
4. Dal momento che
5. Se vuole telefonare a casa,

a. conosca tutta la verità.
b. sei in zona, perché non passi da me?
c. faccia pure!
d. il tempo non peggiori.
e. lei non è d'accordo.

2. Sapete...? Abbinate le due colonne.

1. dare ordini
2. dare consigli
3. tollerare
4. esprimere stato d'animo
5. dare indicazioni stradali

a. Prenda il metrò, conviene.
b. Vada dritto e lo troverà!
c. Mi dispiace che tu stia male.
d. Stia zitto!
e. Se deve uscire, esca pure!

3. Completate.

1. Due opere di Giuseppe Verdi: ....
2. Altri due compositori di musica lirica: ....
3. La più importante gara ciclistica in Italia: ....
4. Sottolinea gli indefiniti che non hanno il plurale: *qualche*, *ogni*, *tutto*, *altro*.
5. *Dimmelo* alla forma di cortesia: ....

4. Completate le frasi con le parole mancanti.

1. Il grande t................... fece il suo d................... nel 1961 alla Scala.
2. Per la loro i................... gli attori hanno ricevuto un lungo a................... da parte del pubblico.
3. Per seguire questo s................... ho dovuto fare 5 ore di f...................!
4. Quasi tutte le s................... italiane di calcio acquistano costosi g................... stranieri.
5. Secondo me, ti conviene prendere l'a................... e scendere alla quarta f...................

Verificate le vostre risposte a pagina 203.
Siete soddisfatti?

Uno spettacolo lirico all'*Arena* di Verona

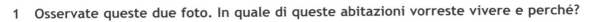

Per cominciare...

1 Osservate queste due foto. In quale di queste abitazioni vorreste vivere e perché?

a.

b.

2 Lavorando in coppia, abbinate le seguenti parole alla foto corrispondente.

☐ aria pulita ☐ inquinamento ☐ verde ☐ traffico

☐ rumore ☐ smog ☐ natura ☐ tranquillità

31 3 Ascoltate il dialogo: cosa vorrebbe fare il protagonista e perché?

31 4 Ascoltate di nuovo e completate le battute (massimo quattro parole).

1. Ma lo sai che alle volte per trovare parcheggio ci metto ....

2. Una volta sì, ora non più. La zona è ....
e lo smog è arrivato anche da noi.

3. Io vorrei trovare una bella casetta in campagna: comoda, con un bel giardino, in mezzo al verde

....

4. Poi, a mia moglie comprerò una macchina perché si sposti senza problemi. Oppure ....

....

In questa unità...

1. ...impariamo a confrontare la vita in città e in campagna, a leggere e a scrivere un annuncio
immobiliare, a presentare un fatto come facile, a parlare di ambiente ed ecologia;
2. ...conosciamo il congiuntivo imperfetto e trapassato e la concordanza dei tempi del congiuntivo;
3. ...troviamo informazioni sull'ambiente, le associazioni ambientaliste, l'agriturismo.

A   Una casetta in campagna...

1   Leggete e ascoltate il dialogo e verificate le vostre risposte all'attività precedente.

Daniela: Come mai leggi gli annunci? Stai cercando un altro lavoro?

Tommaso: No, sto cercando casa.

Daniela: Ah, sì? Pensavo che tu fossi contento del tuo appartamento.

Tommaso: All'inizio lo ero. Non mi aspettavo però che questa zona si trasformasse in un inferno! Ma lo sai che a volte per trovare parcheggio ci metto anche mezz'ora?!

Daniela: Davvero?! Io credevo che fosse il quartiere più bello della città, lontano dall'inquinamento e dal traffico del centro.

Tommaso: Una volta sì, ora non più. La zona è sempre piena di macchine e lo smog, da quando hanno costruito quell'enorme centro commerciale, è arrivato anche da noi.

Daniela: Veramente non sapevo che vi avesse creato così tanti problemi. Quindi, pensi proprio di cambiare quartiere?

Tommaso: Macché quartiere! Io vorrei trovare una bella casetta in campagna: comoda, con un bel giardino, in mezzo al verde e all'aria pulita. Forse dovevo farlo prima che la situazione diventasse insopportabile.

Daniela: Ma la tua famiglia che ne pensa?

Tommaso: Credo che vogliano rimanere qua!

Daniela: Credi?! Non lo sanno ancora? E come pensi di convincerli?

Tommaso: Dunque, ai miei figli prenderò un cane, sai... una di quelle razze che devono correre cento chilometri al giorno e qua... è impossibile. A mia moglie, invece, comprerò una macchina perché si sposti senza problemi. Oppure... una bici, che è anche ecologica.

Daniela: Non sapevo che tu fossi un ecologista.

Tommaso: Ma oggigiorno come si fa a non esserlo?

2   Leggete il dialogo e sottolineate verbi come "fossi" e "si trasformasse".

3   Rispondete per iscritto *(15-20 parole)* alle domande.

1. Cos'è cambiato ultimamente nel quartiere di Tommaso? ....

....

2. Che idea aveva Daniela di questa zona? ....

....

3. Come pensa di convincere la sua famiglia Tommaso? ....

....

4   Ecco adesso il dialogo fra Tommaso e sua moglie; completatelo con le parole date.

Teresa:	Cambiare casa?! Ma se sei stato tu a insistere per trasferirci qui!
Tommaso:	Sì, ma allora nessuno di noi si aspettava che .... un inferno, o che .... quel centro commerciale.
Teresa:	Guarda che a me fa molto comodo.
Tommaso:	Non ne dubito! Però fa comodo anche a centinaia di persone che ogni giorno passano dalla nostra strada. L'aria è ormai irrespirabile.
Teresa:	Veramente? Non sapevo che per te .... un problema. Non al punto da voler cambiare casa!
Tommaso:	Ma io lo dico soprattutto per i bambini: sono loro che hanno più bisogno di aria pulita, di spazio per correre... per portare fuori il cane.
Teresa:	Cane, quale cane?! Pensi di prendere anche un cane?! Ma che ti è preso oggi?
Tommaso:	Perché? Credevo che tu .... gli animali. Pensa quanto piacerà ai bambini: ne andranno matti!
Teresa:	Vorrei che qualcuno .... anche a me ogni tanto! Senti, della casa nuova possiamo discuterne... però, niente cani, ok?!

> *pensasse   costruissero   diventasse   amassi   fosse*

5 Osservate i verbi che avete sottolineato nel dialogo introduttivo e poi completate la tabella.

Congiuntivo imperfetto

	-are ⇨ -assi		-ere ⇨ -essi		-ire ⇨ -issi	
	parlare		**avere**		**finire**	
	Angela voleva che:		*Bisognava che:*		*Era necessario che:*	
io	parl**assi**		av**essi**		fin**issi**	
tu	....		av**essi**		fin**issi**	
lui, lei	parl**asse**	*di*	av**esse**	*più*	fin**isse**	*subito.*
noi	parl**assimo**	*meno.*	....	*pazienza.*	fin**issimo**	
voi	parl**aste**		av**este**		fin**iste**	
loro	parl**assero**		av**essero**		....	

La prima persona singolare dell'indicativo imperfetto ci aiuta a costruire le forme del congiuntivo imperfetto, infatti abbiamo: *bere-bevessi / dire-dicessi / fare-facessi / porre-ponessi*.
Fanno eccezione i verbi *essere*, *dare* e *stare*. Potete consultarli in Appendice a pagina 187.

6 Completate le frasi con il congiuntivo imperfetto dei verbi tra parentesi.

1. Ho preso la bicicletta perché non mi aspettavo che *(piovere)*.
2. Bisognava che *(noi-comprare)* una casa in campagna!
3. Non sapevo che le cose *(andare)* così male tra voi due.
4. Quando l'ho vista ho pensato che *(avere)* più di trent'anni.
5. I miei desideravano che io *(fare)* l'avvocato. Sogni...
6. Finalmente: avevo paura che voi non *(venire)*.

Secondo voi, perché non possiamo usare il congiuntivo presente in queste frasi?

 1 - 3

B Cercare casa

1 Secondo voi, quando si cerca una casa sugli annunci quali tra queste informazioni sono importanti? Lavorando in coppia, indicatene 5 in ordine di importanza.

☐ metri quadrati ☐ numero di camere ☐ zona ☐ modalità di pagamento ☐ piano

☐ parcheggio ☐ anno di costruzione ☐ riscaldamento autonomo ☐ colore delle pareti

☐ numero dei bagni ☐ vista ☐ aria condizionata / riscaldamento ☐ ammobiliato o meno

altro: ....

2 Lavorate in coppia e scegliete un annuncio: tra quelle viste prima, quali sono le informazioni presenti in questi annunci?

Venaria (Torino) - Zona Centro Commerciale: alloggio con ingresso su salone, cucina abitabile, due camere, doppi servizi, ripostiglio, cantina e box per due auto. Termoautonomo.

Di Negro (Genova) - In area in totale rinnovamento, luminoso, mq 105 con ampio soggiorno, tre matrimoniali, cucina, bagno, interni da riordinare, edificio d'epoca perfetto. Possibilità mutuo totale.

Tigliole - A pochi chilometri da Asti, bella villa di recentissima edificazione, con giardino su due piani: garage ampio, lavanderia, bagno, cantina. Parte abitativa con salone, ampia cucina, 2 camere da letto, doppi servizi, terrazza.

Bergio Verezzi (Savona) - Monolocale ristrutturato e arredato con ingresso indipendente, soggiorno con angolo cottura, camera, bagno, posto auto. Balcone con vista su parco.

annunci tratti da Fondocasa informa

3 Adesso associate, come nell'esempio, gli annunci alle abitazioni. Secondo voi, quale casa costa di più?

Venaria

4 Quando si cerca o si costruisce una casa è importante conoscere anche i materiali usati. Abbinate i vari materiali alla foto corrispondente.

a. marmo   b. legno   c. pietra   d. vetro   e. ferro   f. ceramica   g. cemento

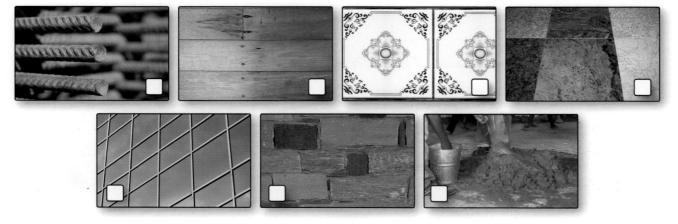

5 Siete in Italia per un corso di italiano di 6 mesi e avete bisogno di un alloggio: in internet c'è un sito dove poter mettere annunci. Scrivetene uno in base alle vostre necessità, esigenze e possibilità economiche.

6 Nel dialogo introduttivo abbiamo visto la frase "non sapevo che (il centro commerciale) vi *avesse creato* così tanti problemi". Questo è il congiuntivo trapassato. Come si forma, secondo voi? Provate a completare le frasi con l'ausiliare corretto.

Congiuntivo trapassato

Si è comportata così perché credeva che tu **avessi parlato** male di lei.

Pensavo che non **foste tornati**, per cui non sono passato.

Nonostante .... **mangiato** a casa, ho accettato di cenare con lui.

Era strano che lei .... **partita** senza avvertirmi.

Non ci sono andato benché mi .... **invitato** lei di persona.

➤ 4 e 5

C   Nessun problema...

 1 Ascoltate il dialogo e indicate le affermazioni presenti.

☐ 1. Tommaso ha trovato casa in una piccola città.
☐ 2. La casa gli è costata molto più del previsto.
☐ 3. Ci vive da un mese.
☐ 4. Si è già abituato alla sua nuova vita.
☐ 5. Ama andare in giro con la sua bicicletta.
☐ 6. Da casa sua può vedere un lago.
☐ 7. L'unico problema è che gli mancano i suoi amici.
☐ 8. Anche sua moglie ha cambiato lavoro.

 2 Ascoltate di nuovo e scrivete le cinque espressioni che Tommaso usa per dire che è stato facile cambiare vita.

....

....

 3 Sei *A*: rispondi alle domande di *B*, usando le espressioni viste al punto precedente.

Role-play

Sei *B*: chiedi ad *A* come...

- *ha convinto i suoi genitori a comprargli un'Alfa Romeo nuova*
- *è riuscito a superare tutti gli esami che ha sostenuto*
- *ha fatto a imparare così bene l'italiano*
- *è riuscito a trovare il posto di lavoro che cercava da anni*
- *ce l'ha fatta ad iscriversi a Medicina*

4 Nel dialogo al punto C1 si trova la frase: "non credevo che avresti trovato...". Per chiarire eventuali dubbi, vediamo alcune regole sulla concordanza dei tempi. Osservate:

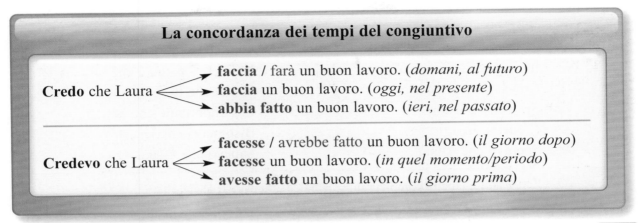

La concordanza dei tempi del congiuntivo

Credo che Laura →
- **faccia** / farà un buon lavoro. (*domani, al futuro*)
- **faccia** un buon lavoro. (*oggi, nel presente*)
- **abbia fatto** un buon lavoro. (*ieri, nel passato*)

Credevo che Laura →
- **facesse** / avrebbe fatto un buon lavoro. (*il giorno dopo*)
- **facesse** un buon lavoro. (*in quel momento/periodo*)
- **avesse fatto** un buon lavoro. (*il giorno prima*)

6 - 9

5 Voi potreste fare quello che ha fatto Tommaso? Il traffico e lo smog sono problemi che riguardano anche la vostra città? Potete pensare a possibili soluzioni? Parlatene.

6 Lavorate in coppia. Quello di seguito è un opuscolo informativo. Completatelo con le parole mancanti (una per ogni spazio).

Associazione Città Ciclabile

Una città per le biciclette

La bicicletta, per combinare il diritto alla mobilità con il diritto alla salute di tutti. La bicicletta, una scelta di civiltà da promuovere tramite una rete di piste ciclabili ....(1) uniscano la periferia al centro e che si integri con i ....(2) di trasporto pubblico. Una scelta di civiltà da incoraggiare con una serie ....(3) piccoli interventi di facile attuazione. Una scelta da sostenere e salvaguardare con una drastica ....(4) del traffico inquinante e il forte incremento delle zone pedonali.

Una città per i cittadini

Fare la coda, trovare un parcheggio, non trovarlo, prendere una multa, fare ancora una coda, ...(5) un altro parcheggio introvabile... Ma ....(6) veramente sicuri che l'automobile ci porti rapidamente ....(7) destinazione? Sicuramente ci porta stress rendendo la ....(8) invivibile. E anche per chi si ....(9) in motorino i problemi non mancano. Spostarsi ....(10) piedi o in bicicletta è invece un'esperienza rilassante e che, probabilmente, ci fa pure guadagnare un po' del nostro prezioso tempo.

Associazione Città Ciclabile

7 Adesso che abbiamo incontrato tutti i tempi del congiuntivo, segnate, tra le espressioni date, quelle che richiedono l'uso del congiuntivo.

Quando usare il congiuntivo (I)

Immaginavo che lei...	Mi faceva piacere che lui...
Non sapevo se Mario...	Vorrei che tu...
Ero certo che loro...	Era importante che io...
Credevo di...	Bisognava che lei...
Speravo che Anna...	Sapevo che Lisa...

La tabella completa in Appendice alle pagine 187 e 188.

 10 e 11

 8 Lavorate in coppia. Scegliete 4 frasi della tabella precedente da completare liberamente.

D Vivere in città

 1 In Italia si misura spesso "lo stato di salute" delle varie città, cioè dove si vive meglio. Da quali fattori può dipendere la qualità della vita? Scambiatevi idee.

 2 Ascoltate il brano e indicate le affermazioni corrette.

1. La situazione ambientale nelle città italiane
   - a. rimane stabile
   - b. è migliorata
   - c. è peggiorata

2. C'è molta differenza tra le città
   - a. piccole e grandi
   - b. italiane ed europee
   - c. del Nord e del Sud Italia

3. Tra le quattro grandi città italiane, Roma
   - a. è prima per le isole pedonali
   - b. ha il più alto numero di piste ciclabili
   - c. è la prima per la raccolta differenziata

4. Gli italiani, in generale, usano di più
   - a. i mezzi pubblici
   - b. la propria macchina
   - c. la bicicletta

3 Cantando "Il ragazzo della via Gluck" al Festival di Sanremo nel lontano 1966, Adriano Celentano, uno dei simboli della musica italiana, è stato tra i primi ad occuparsi di un argomento ancora oggi attuale. Leggete il testo della canzone (se possibile, ascoltatela) e rispondete alle domande.

Questa è la storia di uno di noi,
anche lui nato per caso in via Gluck
in una casa fuori città…
Gente tranquilla che lavorava.
Questo ragazzo della via Gluck
si divertiva a giocare con me,
ma un giorno disse: "Vado in città!"
E lo diceva mentre piangeva;
io gli domando: "Amico non sei contento?
Vai finalmente a stare in città!
Là troverai le cose che non hai avuto qui!
Potrai lavarti in casa senza andar giù
nel cortile!"
"Mio caro amico - disse - qui sono nato
   e in questa strada ora lascio il mio cuore!
      Ma come fai a non capire…
         È una fortuna per voi che restate
            a piedi nudi a giocare nei prati
               mentre là in centro io respiro
                  il cemento!"

Ma verrà un giorno che ritornerò ancora qui…
e sentirò l'amico treno che fischia così: "wa wa".
Passano gli anni… ma otto son lunghi,
però quel ragazzo ne ha fatta di strada,
ma non si scorda la sua prima casa,
ora coi soldi, lui può comperarla…
Torna e non trova gli amici che aveva,
solo case su case… catrame e cemento!
Là dove c'era l'erba… ora c'è una città
e quella casa in mezzo al verde
ormai dove sarà!
Non so, non so
perché continuano a
costruire le case
e non lasciano l'erba
e no, se andiamo avanti così,
chissà come si farà!

Adriano Celentano,
Il ragazzo della via Gluck

1. Con quali sentimenti il ragazzo va in città? Come reagisce il suo amico?
2. Cosa trova quando torna al suo paese e come si sente?
3. Cosa vuole criticare l'autore della canzone? Cosa ne pensate?
4. Com'è la situazione oggi rispetto agli anni '60? Scambiatevi idee.

4 Torniamo all'uso del congiuntivo per ricordare quanto abbiamo imparato nell'unità 5. In coppia, fate l'abbinamento. Le soluzioni in Appendice a pagina 188.

aud P 78

Quando usare il congiuntivo (II)	
benché / sebbene nonostante / malgrado	Ho preso con me l'ombrello … *piovesse.*
purché / a patto a condizione che	L'ho guardata a lungo, … mi *notasse!*
senza che	Mi hanno dato un aumento, … io lo *chiedessi!*
nel caso (in cui)	… *mi sentissi* stanco, sono uscito.
affinché / perché	Ricordo quella notte … *fosse* ieri.
prima che	Ho accettato di uscire con lui, … *passasse* a prendermi.
a meno che	Dovevo finire … *cominciasse* la partita.
come se	Sarebbe venuto, … non *avesse* qualche problema.

5 Completate le frasi con le congiunzioni della tabella precedente.

1. Per fortuna siamo arrivati a casa .... si mettesse a piovere.
2. Era pallida .... avesse visto un fantasma!
3. .... litigassero molto spesso, non si sono lasciati mai.
4. Lo prendevano in giro .... lui se ne accorgesse.
5. Era allegro .... la sua squadra avesse vinto!

 12 e 13

E Salviamo la Terra!

 1 Leggete la copertina di *Panorama*: quali informazioni potete ricavare sulla situazione attuale e sul futuro dell'ambiente? Dobbiamo davvero preoccuparci? Scambiatevi idee.

2 Lavorate in coppia. Di seguito ci sono i quattro paragrafi di un testo. Metteteli nell'ordine giusto cercando di capire il significato generale dell'articolo.

☐ Sono questi i dati del "Living Planet Report", l'ultimo rapporto del WWF presentato oggi a livello mondiale. "Fare dei cambiamenti che migliorino i nostri standard di vita e riducano il nostro impatto sulla natura non sarà facile – ha detto il direttore generale di WWF International, James Leape – ma se non agiamo subito le conseguenze sono certe e terribili". Ma di chi è la colpa?

☐ Non c'è dubbio che l'Occidente e i suoi abitanti facciano la parte del leone in questo esaurimento delle risorse naturali, mentre i paesi in via di sviluppo, nei cui territori spesso si trova gran parte di queste risorse, subiscono quasi esclusivamente le conseguenze della distruzione degli ecosistemi.

☐ In altri termini, i ritmi dei nostri consumi hanno ormai superato la capacità del pianeta di sostenere la vita. Negli ultimi tre decenni, vale a dire l'arco di una sola generazione, abbiamo allegramente consumato più di un terzo delle risorse che il pianeta metteva a nostra disposizione, come se fossero rigenerabili all'infinito.

1 Un pianeta prossimo al collasso, a cui restano pochi decenni di vita, dopo i quali l'umanità sarà forse costretta ad imbarcarsi verso altri mondi per poter sopravvivere. Intorno al 2050 le risorse della Terra non saranno più sufficienti, se continueremo a sfruttarle a questi ritmi.

adattato da *la Repubblica*

3 Secondo voi, quale dei seguenti titoli riassume meglio il contenuto dell'articolo?

EFFETTO SERRA:
LA TERRA HA CALDO!

RECORD DI SPRECHI, FRA 40 ANNI LA TERRA MORIRÀ

RAPPORTO WWF: L'ITALIA NON RICICLA ABBASTANZA

4 Lavorate in coppia. A quali espressioni dell'articolo si riferiscono quelle date di seguito? Per aiutarvi vi indichiamo il numero del paragrafo.

vicino a (1): ....

per dire una cosa in modo diverso (2): ....

la durata (2): ....

senza limiti (2): ....

avere la più grande responsabilità (4): ....

5 Nel testo precedente abbiamo visto "come se *fossero* rigenerabili all'infinito" **(2)**. Ritorniamo su alcune espressioni che richiedono il congiuntivo: fate l'abbinamento.

Quando usare il congiuntivo (III)

Giorgio era **l'unico che** *potesse*	sposato o single.
Magari tu *avessi ascoltato*	lui non si scoraggiava mai.
Mi **ha chiesto se** tu *fossi*	lo sapevamo già.
Comunque *andassero* le cose	*avessi* mai *conosciuto*.
Lui litigava con **chiunque** *avesse*	aiutarti in quella situazione.
Era **la** donna **più bella** che	i miei consigli!
Che *avessero* dei problemi	idee diverse dalle sue.

La tabella completa in Appendice alle pagine 188 e 189.

6 Come abbiamo già visto nell'unità 5 (pagina 81) il congiuntivo non è richiesto in tutte le occasioni. Completate le seguenti frasi. Le risposte in Appendice a pagina189.

1. Secondo me, questo libro .... molto bello. *(essere)*
2. Abbiamo vinto anche se non .... migliori. *(essere)*
3. Pensavo che tu .... bravo. *(essere)*
4. Bisognava che tu .... presto. *(fare)*
5. Pensava di .... più intelligente di noi. *(essere)*
6. Bisognava .... subito. *(partire)*

14 - 17

7 Mettete a confronto e commentate le due foto. Quale di queste immagini si vede più spesso nella vostra città? Voi come vi comportate?

F Vocabolario e abilità

 1 Lavorate in coppia. Quali di queste cose fanno bene all'ambiente e quali lo danneggiano? Aggiungete altri fattori che conoscete e alla fine confrontate le vostre liste con quelle delle altre coppie.

> forme di energia rinnovabili, macchine a benzina, macchine elettriche, risparmiare, sprecare, riciclare, proteggere gli animali in via d'estinzione, usare i mezzi pubblici, usare l'auto, tagliare gli alberi, viaggiare in aereo

fattori positivi	fattori negativi
....	....
....	....
....	....
....	....
....	....
....	....

2 Quali conseguenze possono avere sul mondo degli animali i problemi ambientali? Gli animali domestici sono al sicuro dai comportamenti negativi dell'uomo? Parlatene in classe.

3　Guardate i disegni e raccontate la storia.

4　**Ascolto** Quaderno degli esercizi

5　**Situazioni**

1. **Sei A**: hai deciso di trovare una casa in campagna e di vendere l'appartamento che hai in città. Vai in un'agenzia immobiliare e chiedi informazioni sulla casa dei tuoi sogni... ma adatta alle tue possibilità economiche.
   Sei B: sei l'impiegato e a pagina 199 troverai tutte le informazioni necessarie per rispondere alle richieste di A.
2. Dopo averci pensato per anni, prendi la decisione di andare a vivere fuori città; ne parli con il/la tuo/a partner. Il problema è che lui/lei non è pronto/a a rinunciare alle comodità che offre una metropoli, di cui invece tu sei stanco.

6　**Scriviamo**

1. Ormai gli scienziati sono convinti che l'ambiente dovrebbe essere la priorità di tutti i governi, così come di ogni singolo cittadino. Esprimete la vostra opinione in merito proponendo eventuali misure. *(120-160 parole)*
2. Immaginate di vivere nel 2050: qual è la situazione del pianeta? Come si vive in città? Com'è la campagna? *(120-160 parole)*

Test finale

Gli italiani e l'ambiente

L'agriturismo

Agriturismo significa che il turista è ospitato presso un'azienda agricola (quelle che una volta erano chiamate "fattorie"). Inizialmente è stato concepito* per offrire a chi viveva in città la possibilità di fare un'esperienza di vita alternativa, spesso legata al lavoro in campagna. Gradualmente è diventato una vera e propria forma di turismo, sempre in relazione all'ospitalità in un'azienda agricola.

Infatti, se all'inizio una vacanza in un agriturismo significava anche poter condividere i lavori e le fatiche del lavoro agricolo, nel corso degli ultimi anni il soggiorno in un agriturismo è diventato piuttosto un'opportunità per vivere a contatto con la natura e soprattutto poter mangiare prodotti direttamente coltivati nell'azienda agricola, che comprende l'allevamento di animali.

Il numero dei servizi offerti da un'azienda agrituristica sono quindi molteplici: dal pernottamento (di solito il numero di stanze è limitato) alla ristorazione, dalle fattorie didattiche (nelle quali le aziende agricole ospitano le scolaresche) alle degustazioni* di prodotti tipici.

Sono più di 10.000 le aziende agrituristiche in Italia e il fenomeno è in crescita. Non c'è regione italiana dove non siano presenti agriturismi più o meno grandi. Il fenomeno dell'agriturismo ha creato nuove opportunità di sviluppo e contribuisce alla salvaguardia* del territorio rurale*, contribuendo alla permanenza delle giovani generazioni nelle campagne.

1. L'agriturismo è:
☐ a. un'azienda agricola dove tutti lavorano
☐ b. un modo di vivere all'aperto
☐ c. un'azienda agricola che ospita turisti
☐ d. un altro termine per indicare le vecchie fattorie

2. Si va in un agriturismo soprattutto per:
☐ a. condividere il lavoro con i contadini
☐ b. mangiare prodotti tipici
☐ c. soggiornare in grandi gruppi
☐ d. dormire all'aria aperta

3. Il fenomeno dell'agriturismo:
☐ a. ha avuto grande successo negli anni passati
☐ b. è presente in poche regioni italiane
☐ c. è stato un esempio imitato all'estero
☐ d. ha trattenuto i giovani nelle campagne

Glossario: <u>concepire</u>: intendere, ideare; <u>degustazione</u>: l'assaggiare cibi e bevande per riconoscerne la qualità o giudicarne il sapore; <u>salvaguardia</u>: tutela, difesa, protezione; <u>rurale</u>: di campagna; <u>patrimonio</u>: l'insieme dei monumenti storici, delle opere d'arte, e della loro storia, di un Paese; <u>circolo</u>: associazione di persone che si riuniscono per un interesse comune; <u>campagna</u>: attività e iniziative organizzate in funzione di uno scopo; <u>goletta</u>: nave a vela; <u>volontariato</u>: attività volontaria e gratuita svolta dai cittadini per scopi diversi; <u>ecoturismo</u>: turismo alla scoperta e nel rispetto della natura; <u>escursionista</u>: chi fa una gita, soprattutto in montagna; <u>coscienza</u>: sensibilità di fronte a determinati fatti, problemi sociali ecc.

Legambiente

Tutela dell'ambiente, difesa della salute dei cittadini, salvaguardia del patrimonio* artistico italiano... Sono molti i campi in cui *Legambiente* è quotidianamente impegnata, a livello nazionale e locale. La più diffusa associazione ambientalista italiana, infatti, alle grandi battaglie affianca la quotidiana attività di più di 100.000 soci e circa mille tra circoli* e gruppi per l'ambiente sparsi su tutto il territorio nazionale. Le sue campagne* nazionali (come il *Treno Verde*, la *Goletta* Verde*, l'*Operazione Fiumi* e *Salvalarte*) e le grandi giornate di volontariato* (come *Puliamo il Mondo* e l'*Operazione Spiagge Pulite*), hanno ogni anno grandissimo successo, grazie alla numerosa partecipazione dei cittadini.

In Italia ci sono oggi oltre 4 milioni di volontari. Purtroppo, però, oltre ai poveri, ai malati e agli anziani anche l'ambiente ha bisogno d'aiuto. Nella foto un gruppo di volontari pulisce una spiaggia dal petrolio.

Il Parco Nazionale dello Stelvio, *nelle Alpi centrali è il più grande d'Italia. Negli ultimi anni, la superficie dei parchi nazionali è aumentata continuamente e oggi copre più del 10% del territorio italiano. Si può dire ormai che la coscienza* ecologica coinvolge, oltre ai cittadini, anche lo Stato italiano.*

Attività online

Trekking sul Vesuvio. L'ecoturismo è molto diffuso in Italia, grazie ovviamente ai bellissimi paesaggi che attirano escursionisti* da molti paesi. Il* Sentiero Italia *è infatti il più lungo del mondo fra quelli aperti alla partecipazione di tutti. Ideato negli anni '80, va dalla Sicilia alle Alpi, comprendendo anche la Sardegna.*

115

Autovalutazione
Che cosa ricordate delle unità 6 e 7?

1. Abbinate le frasi. Nella colonna a destra ce n'è una in più.

1. Ma come ce l'hai fatta?
2. Anche se...
3. Nonostante...
4. In altri termini...
5. Non sa la strada?

a. mi conosceva, non mi ha salutato.
b. Chieda al vigile!
c. fosse già tardi, non siamo andati via.
d. Semplice, con un po' di aiuto.
e. il clima non è più quello di una volta.
f. Si sieda pure!

2. Sapete...? Abbinate le due colonne.

1. dare istruzioni
2. dare il permesso di fare qualcosa
3. presentare un fatto come facile
4. esprimere un desiderio
5. porre condizioni

a. Ci sarei andata a patto che non ci fosse Andrea.
b. Per informazioni vada al primo piano.
c. Magari tu fossi qui adesso!
d. Certo! Apra, non mi dà fastidio.
e. Mah, una cosa da niente!

3. Scegliete la parola adatta per ogni frase.

1. Carla e Fabio vivono in un bell' ... in periferia.   *angolo/appartamento/area/ingresso*
2. Molte grandi città sono diventate ...   *invivibili/riciclabili/rinnovabili/introvabili*
3. Presto le ... naturali del pianeta si esauriranno.   *energie/raccolte/bellezze/risorse*
4. L' ... ha distrutto la produzione agricola.   *alluminio/alluvione/ecologia/elettricità*
5. In Italia ci sono molti ... che difendono la natura.   *volontari/sprechi/riciclaggi/incendi*

4. Completate o rispondete.

1. Un'associazione ambientalista italiana: ....
2. Una forma di turismo ecologico: ....
3. Un compositore italiano: ....
4. Tre congiunzioni che richiedono il congiuntivo: ....
5. Il congiuntivo imperfetto di *dare* (prima pers. singolare): ....

Verificate le vostre risposte a pagina 203. Siete soddisfatti?

Isola Bella, Lago Maggiore (Lombardia)

Per cominciare...

💬 **1** Osservate i disegni: in quale di queste immagini vi riconoscete? Cosa fate più spesso?

 2 Ascoltate l'inizio del dialogo (fino a "Bravo!"): di quale attività tra quelle viste si parla?

 3 Ascoltate l'intero dialogo e indicate le informazioni presenti.

1. Amedeo invita Luigi al cinema.
2. Luigi sembra indeciso.
3. Luigi ha comprato un nuovo videogame.
4. Amedeo vorrebbe giocare con Luigi.
5. Amedeo accusa Luigi di essere cambiato.
6. Luigi ama giocare per molte ore al giorno.
7. Secondo Amedeo, Luigi esagera con i videogiochi.
8. Amedeo, invece, preferisce stare con gli amici.
9. Luigi pensa solo a nuovi videogiochi da comprare.
10. Alla fine, Luigi accetta di uscire con gli amici.

In questa unità...

1. ...impariamo a complimentarci/congratularci con qualcuno, a fare ipotesi realizzabili o meno, a esprimere approvazione o disapprovazione e a parlare di tecnologia;
2. ...conosciamo il periodo ipotetico e i diversi usi di ci e ne;
3. ...troviamo informazioni su alcuni scienziati e inventori italiani.

117

A Se provassi anche tu...

 1 Ascoltate e leggete il dialogo per confermare le risposte all'attività precedente.

Amedeo: Stasera vieni con noi, no?

Luigi: Mah, non lo so... Sinceramente sono un po' stufo delle solite cose: cinema, pizza... E poi ho comprato quel videogioco di cui ti parlavo!

Amedeo: Ma come, preferisci un videogame ai tuoi amici?! Bravo!

Luigi: Lo devi vedere questo gioco, è straordinario: ha una grafica fantastica, degli effetti che non ti dico e se riesci a raggiungere il livello 5...

Amedeo: Ma quale livello 5?! Guarda che se vai avanti così, ti isolerai: presto non avrai più amici! Tu che eri così estroverso e socievole! Se non ti conoscessi da anni, penserei che sei una persona superficiale.

Luigi: Ma che c'entra l'essere superficiali?! E andare sempre al pub, allora? Se provassi anche tu a giocare, vedresti quanto è interessante.

Amedeo: Ho giocato anch'io, mi piace, ma ci deve essere un limite! Se si imparasse almeno qualcosa, ne varrebbe la pena.

Luigi: Ma sai quante cose ho imparato?

Amedeo: Certo, le caratteristiche di tutti i giochi sul mercato! Se avessi passato tanto tempo a parlare e a divertirti con altre persone, avresti imparato molte più cose... sulla vita, non sulla realtà virtuale.

Luigi: Uffa, parli come mia madre! Ah, a proposito: ti ricordi di quel videogioco di realtà virtuale che aspettavo? È uscito, finalmente!

Amedeo: Ma basta! Ma chi se ne frega?! Va bene, tu resta con i tuoi giochi ed io uscirò con Lidia e Chiara!

2 Lavorate in coppia. Qual è il significato di queste espressioni pronunciate da Amedeo (A) e Luigi (L)? Abbinate le due colonne.

Ma come... (A)	Non voglio sentire altro!
...che non ti dico... (L)	Ma che relazione ha...?
Ma che c'entra...?! (L)	...relativamente a questo...
...ne varrebbe la pena... (A)	...avrebbe senso...
...a proposito... (L)	...bellissimi, eccezionali...
Ma basta! (A)	È incredibile...

3 Amedeo racconta a Chiara cos'è successo. Completate il dialogo con i verbi adatti.

Chiara: Di nuovo Luigi non è venuto?

Amedeo: No. Sarebbe venuto, se non avesse comprato/avesse visto un nuovo gioco!!!

Chiara: Sbaglio o sei arrabbiato con lui?

Amedeo: Un po' sì. Sai, è molto cambiato ultimamente: sta ore e ore davanti al computer e il suo tempo libero lo passa tutto in internet.

Chiara: E sarebbe/avrebbe meglio se guardasse la tv?

Amedeo: No, ma tu credi che sia normale? Ormai l'unica cosa che gli interessa sono i videogiochi.

Chiara: Ma tu hai provato a giocare con lui?

Amedeo: Se avrò/avessi sedici anni, mi sembrerebbe naturale, ma non a questa età. Dimmi una cosa: se Lidia preferisse/cominciasse leggere anziché uscire con te, saresti contenta?

Chiara: Se Lidia si metterà a leggere ho cominciato/comincerò a preoccuparmi veramente! Se, invece, è/fosse un'appassionata di computer, probabilmente faremmo/facciamo insieme nuove amicizie via internet!

Amedeo: Ma che succede? Solo io uso il computer per lavorare?!

4 Lavorate in coppia. Alcune coppie, a scelta, riassumeranno il dialogo introduttivo con una frase di circa 10-15 parole, mentre le altre con due frasi di circa 20-25 parole in tutto. Alla fine confrontate i vostri riassunti.

5 Nel dialogo introduttivo abbiamo visto frasi come "Se *vai* avanti così, *ti isolerai*". Osservate la tabella riguardante il periodo ipotetico. Come si forma?

> **Periodo ipotetico, 1° tipo: realtà - certezza**
>
> Se **vengono** le ragazze, **vengo** anch'io.
> Se non **verranno**, allora **resterò** a casa.

6 Completate liberamente le frasi che seguono.

1. Se stasera ci sarà qualche bel film alla televisione...
2. Se il fine settimana farà bel tempo...
3. Secondo me, se uno vuole divertirsi...
4. Se non sarò impegnato...

7 Osservate anche la seguente tabella. In quali occasioni usereste questo secondo tipo di periodo ipotetico?

> **Periodo ipotetico, 2° tipo: possibilità / impossibilità nel presente**
>
> Secondo te, **sarebbe** meglio **se guardasse** la TV?
> Se Lidia **preferisse** leggere anziché uscire, ti **sembrerebbe** logico?
> Se **potessi** essere un animale, **vorrei** essere un leone.
> Se **fossi** in te, non lo **farei**.

8 Completate il testo coniugando i verbi tra parentesi. Cosa farebbe un bambino napoletano se fosse miliardario?

Se fossi miliardario

Se *(essere)* .... miliardario non *(fare)* .... come Berlusconi. Lui è miliardario solo per sé e per la sua famiglia, ma per gli altri non lo è. Io se *(essere)* .... ricco come lui, *(fare)* .... il bene, per andare in Paradiso.

Se io fossi miliardario *(dare)* .... tutto ai poveri, ai ciechi e al Terzo Mondo.

Se io *(avere)* .... molti soldi *(costruire)* .... tutta Napoli nuova e *(fare)* .... i parcheggi. Ai ricchi di Napoli non *(dare)* .... una lira, ma ai poveri tutto.

Per me *(comprare)* .... una Ferrari vera e una villa. Se *(avere)* .... molti miliardi a papà non lo farei più lavorare, ma lo *(fare)* .... stare in pensione a riposarsi.

Io tutto questo lo potrò fare, se *(vincere)* .... il biglietto delle lotterie che ha comprato papà.

tratto dal libro *Io speriamo che me la cavo* di Marcello D'Orta

E voi cosa fareste se diventaste molto ricchi?

B   Complimenti!

1   Ascoltate i mini dialoghi e indicate in quali la reazione è positiva e in quali negativa.

	positiva	negativa
1.		
2.		
3.		
4.		
5.		
6.		
7.		
8.		

2   Ascoltate di nuovo e completate.

Congratularsi - Approvare	Disapprovare
Complimenti!	....

3   Sei *A*: parla a *B*...   Sei *B*: rispondi a quello che ti dice *A* usando le espressioni appena ascoltate.

del computer molto potente che hai comprato

dello sciopero generale di domani

dell'esame che hai superato

del film che volevate vedere e che non danno più

della tua intenzione di stare a casa per giocare con il computer

del tuo nuovo videofonino

4 Confrontate le due frasi: che differenza c'è, secondo voi, tra i due tipi di periodo ipotetico?

Se non giocasse sempre con il computer, uscirebbe più spesso con noi.

Se non avesse giocato tutta la sera al computer, sarebbe uscito con noi.

5 Osservate la tabella e completate liberamente le frasi che seguono.

> **Periodo ipotetico, 3° tipo: impossibilità nel passato**
>
> Se **fossimo tornati** prima, **avremmo visto** tutto il film.
> Se tu **avessi letto** quell'articolo, **ti saresti arrabbiato** molto.

1. Se le avessi proposto di sposarmi...
2. Se ieri tu fossi venuto con noi...
3. Se mi avessero avvisato…
4. Se avessi telefonato in tempo...

6 Adesso confrontate queste due frasi. Che cosa notate?

Se avessi finito l'università, *sarei diventato* un avvocato.
Se avessi preso la laurea, oggi *sarei* un avvocato di successo.

7 Osservate la tabella e, in coppia, scrivete una frase simile.

> **Ipotesi al passato con conseguenza nel presente**
>
> Se tu **avessi accettato** quella proposta, *ora* **saresti** molto ricco.
> Se non **fosse partito** per l'America, *oggi* **sarebbe** un impiegato.
>
> Altre forme di periodo ipotetico in Appendice a pagina 189.

4 - 9

C   Tutti al computer!

1 Descrivete e commentate queste foto.

2   Rispondete.

1. Voi conoscete bambini che usano molto il computer? Parlatene.
2. Secondo voi, la realtà che descrivono le foto è positiva o negativa?
3. Ricordate i primi computer che avete usato? Cosa è cambiato da allora?
   Scambiatevi idee e... ricordi.
4. Quanti di voi usano la posta elettronica e per quali motivi?

3   Nelle e-mail che ricevete cosa vi dà fastidio o non vi piace? Leggete il testo per vedere se sono le stesse cose che segnala l'autore. Infine, rispondete alle domande. *www. beppeseverg.. l*

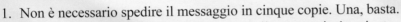

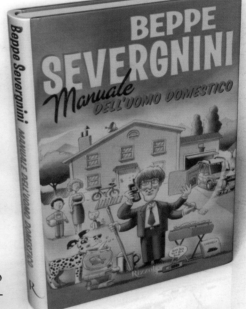

Le cose che facciamo al computer

Forse i primi italiani che usavano il telefono ci gridavano dentro come se fosse un megafono (alcuni miei conoscenti lo fanno ancora). Poi gli utenti hanno capito che il nuovo mezzo imponeva nuove regole. Non si poteva chiamare la gente alle quattro del mattino e, soprattutto, non si doveva mai, in nessun caso, telefonare a qualcuno e dire: "Pronto chi parla?".
La posta elettronica ha attraversato la stessa fase pionieristica, ma forse ha ancora bisogno di regole. Eccone alcune, frutto di una certa pratica (e alcune sofferenze).

1. Non è necessario spedire il messaggio in cinque copie. Una, basta.
2. Non è il caso di telefonare per sapere se il messaggio è arrivato.
3. Evitate messaggi lunghi. Tre paragrafi è il massimo consentito (se è una dichiarazione d'amore, due bastano).
4. Evitate messaggi troppo cerimoniosi. "Spett. Dott. Ing.", "Ch.imo Dr. Prof." fanno già ridere sulla carta. Sullo schermo sono grotteschi.
5. Evitate messaggi troppo informali. Se scrivete a Umberto Eco, non potete cominciare con: "Ehilà, Berto!".
6. Rispondere è cortese, ma non è obbligatorio.
7. Soprattutto evitate di spedire disegnini, canzoncine, foto del gatto, a meno che non siate in confidenza col destinatario (o non vogliate punirlo).
8. Noi italiani, in cerca di rassicurazione, abbiamo chiamato "chiocciolina" il simbolo @ (in inglese: *at*), rifilando il nome dell'animale più lento al mezzo di comunicazione più veloce. Chiamare il computer Fido e il mouse Sorcetto, però, è eccessivo.
9. Non preoccupatevi troppo della sintassi o dell'ortografia. Ma un po', sì. Rileggete almeno una volta. Evitate di scrivere: "Caro Teresa, devi spere cheho fto tardi ieri sera e non è star possibile chiamlareti al telefono; Fatt viva. Ciao, Monica". In un messaggio un errore, frutto della fretta, è perdonabile. Quindici no!
10. Scrivete solo se avete qualcosa da dire!

tratto da *Manuale dell'uomo domestico* di Beppe Severgnini

1. Quale "regola" vi sembra più importante? In quale "errore" vi riconoscete? Parlatene.
2. Avete capito la frase tra virgolette del punto 9? Vediamo chi riesce a... correggerla meglio!

4 Usate internet e per quali motivi? Secondo voi, quali sono i pro e i contro di questo mezzo?

5 Quali delle parole che seguono conoscete già? Potete indovinare il contenuto della trasmissione che ascolteremo?

eccessivo abuso incollato dipendenza patologia terapia

6 Ascoltate il brano e indicate le affermazioni veramente esistenti.

1. La trasmissione è dedicata ai vantaggi che offre la tecnologia.
2. Il tribunale ha condannato un uomo a stare lontano dal pc per un anno.
3. L'uomo passava davanti al computer circa 12 ore al giorno.
4. La moglie dell'uomo si è rivolta ad uno psicologo.
5. L'uomo era completamente estraneo al mondo circostante.
6. Per il compleanno della figlia, l'uomo le ha regalato un microfono per pc.
7. Esiste una clinica per curare la dipendenza da pc.
8. La clinica è la prima al mondo nel suo genere.
9. Il percorso di disintossicazione dura circa 2 mesi.

7 Nelle notizie appena ascoltate abbiamo incontrato diversi usi di *ci*: "oggi *ci* occuperemo", "*ci* passa 10-12 ore al giorno", "non *ce la fa* più". Lavorate in coppia e abbinate gli esempi dati all'esatta funzione svolta da *ci*.

Usi di *ci*

Ciao, **ci** vediamo..., **ci** sentiamo... Insomma, a presto! ⟶ *ci* pleonastico

È molto gentile: **ci** saluta sempre! ⟶ pronome diretto (*noi*)

I tuoi genitori **ci** hanno portato i dolci?! Come mai? ⟶ pronome riflessivo

-Hai tu le mie chiavi? -No, non **ce** le ho io. ⟶ espressioni particolari

Lui ha inventato una scusa, ma non **ci** ho creduto! ⟶ pronome indiretto (*a noi*)

Con Donatella? **Ci** sto molto bene. ⟶ ad una cosa / persona

A Roma? Sì, **ci** sono stata due volte. ⟶ con qualcosa / qualcuno

Ragazzi, andate più piano; non **ce** la faccio più! ⟶ in un luogo

In Appendice, alle pagine 189 e 190, troverete una lista completa degli usi di *ci*.

10

D Pronto, dove sei?

1 Leggete questa pagina web promozionale e rispondete alle domande *(15-25 parole)* cercando di non ripetere le parole del testo.

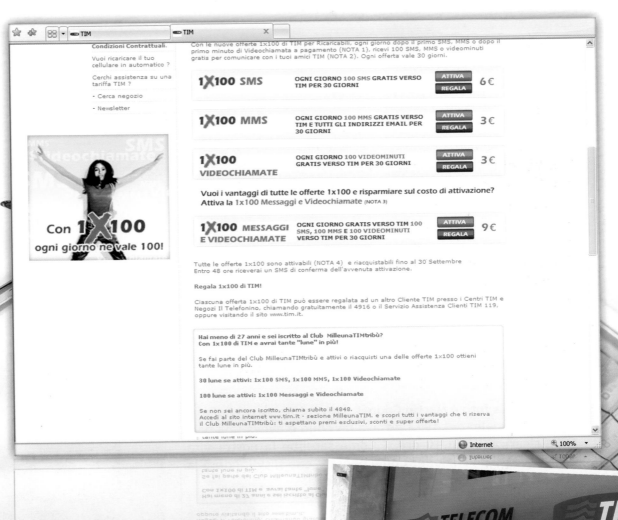

1. Che cosa si pubblicizza?

....

....

....

2. A chi si rivolge questa offerta?

....

....

....

3. Potreste proporre un'offerta diversa a voi più conveniente?

....

....

....

2 Nella pagina precedente abbiamo visto "Ogni giorno *ne* vale 100". *Ne* è una parola che assume significati diversi: *ne* partitivo, "di qualcosa/qualcuno", "da un luogo/una situazione". A coppie, abbinate domande e risposte.

Usi di *ne*

1. Quante e-mail ricevi al giorno?
2. Quanti anni hai, Franco?
3. Come va con Gino?
4. Gli hai parlato del prestito?
5. Ma perché tante domande su Serena?
6. È così brutta questa situazione?

a. **Ne** ho ventitré.
b. Perché non **ne** so niente.
c. Sì... e non so come uscir**ne**.
d. Sì, ma non **ne** vuole sapere!
e. **Ne** sono innamorata come il primo giorno!
f. **Ne** ricevo parecchie.

In Appendice, a pagina 190, troverete una lista completa degli usi di *ne*.

3 Completate le frasi con *ci* o *ne*.

1. Mi ha proposto di lavorare con lui e gli ho risposto che .... devo pensare.
2. Io sono sicuro che vincerà l'Inter: .... scommetti?
3. Non voglio scommettere perché io non .... sono sicuro.
4. Non vi piace questo libro? Purtroppo .... sono l'autore!
5. Ah, l'amore: a tuo nonno piaceva parlar............. ...quando era giovane!
6. .... ha parlato della sua decisione di andare in pensione.

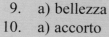 11 e 12

4 L'uomo nella foto è Martin Cooper, l'inventore del cellulare. Il primo modello del 1973 pesava un chilo e aveva una batteria ricaricabile in 10 ore...! Come sarebbe la nostra vita senza questa invenzione? Come pensate che si svilupperà la tecnologia legata ai telefonini? Parlatene.

5 In coppia, cercate di capire eventuali parole che non conoscete. Poi, individualmente, completate il testo che segue con le parole adatte.

1. a) pensato	b) previsto	c) saputo	d) sentito
2. a) fischia	b) batte	c) squilla	d) urla
3. a) Sento	b) Ascolto	c) Riconosco	d) Noto
4. a) bello	b) necessario	c) utile	d) importante
5. a) possibile	b) normale	c) giusto	d) regolare
6. a) commentare	b) approvare	c) valutare	d) criticare
7. a) minimo	b) massimo	c) minore	d) migliore
8. a) innamorati	b) sensi	c) sentimenti	d) problemi
9. a) bellezza	b) allegria	c) gioia	d) onore
10. a) accorto	b) pensato	c) preoccupato	d) notato

In treno

Prendo l'Intercity Roma-Napoli delle 10.30. Ho con me un libro piuttosto diffi-cile da digerire: *Essere e tempo* di Heidegger. Sono d'accordo: per un viaggio Roma-Napoli andava meglio una cosina più leggera. Non avevo (1) ...., infatti, la presenza dei telefonini. Nel mio scompartimento ce ne sono due e tutti e due in funzione. Ho appena cominciato a leggere che (2) .... il primo telefonino, quello del signore che mi sta seduto accanto. In quel momento sono alle prese con quel brano di Heidegger dove il filosofo si chiede se l'essenza dell'essere coincide con la verità. (3) .... lo squillo e mi blocco. Dico a me stesso: "Voglio proprio vedere adesso questo scostumato che cosa ha da dire di tanto (4) ....".

"Ciao cara", dice lo scostumato, "abbiamo appena superato Valmontone".

Roba da non credere! Sono le 10.45 e siamo partiti alle 10.30. È (5) ...., quindi, che abbiamo appena superato Valmontone! A me non sembra una notizia così importante da giustificare il disturbo arrecato a tutto lo scompar-timento. Non faccio in tempo, però, a (6) .... il mio vicino che il giovanotto che mi sta di fronte viene anche lui chiamato da un telefonino.

"Ciao Deborah", dice il giovanotto, "lo sai che ieri non sono riuscito a prender sonno? E sai perché? Perché pensavo a te e a tutte le cose carine che mi avevi detto. Poi ti ho sognato e tu mi hai abbracciato come solo tu sai fare".

Ora, io dico: tu devi comunicare a una persona dei pensieri piuttosto intimi; il (7) .... che puoi fare è andar in corridoio e dire tutto quello che vuoi: "Ti amo, ti adoro, ti desidero" e via dicendo. Quello che non puoi fare è ren-dere partecipi dei tuoi (8) .... due estranei che ti stanno seduti di fronte. [...]

Non passano due minuti quand'ecco squillare di nuovo il telefonino del playboy.

"Ciao Simonetta, come stai? Che (9) .... sentirti... Ma che dici? Io penso solo a te".

"Scusi", avrei voluto dirgli, "ma lei non pensava solo a Deborah? Perché non lo dice anche a Simonetta che pensava solo a Deborah?"

Il mio vicino di posto, essendosi (10) .... che non ho un telefonino, mi dice: "Mi permetta, ingegnere: ho visto che lei non ha un telefonino. Ora, senza complimenti, se vuole approfittare del mio... che so io... magari per fare una telefonata a casa..." e me lo piazza in mano.

"Grazie" gli dico, "farò un salutino a mia figlia. Magari le farà piacere".

"Ciao Paola, sono papà... sto in treno... sì, sì..., abbiamo appena superato Valmontone".

adattato da *Il pressappoco* di Luciano De Crescenzo

6 Rispondete.

1. Fate un breve riassunto del testo.
2. Avete il cellulare? Quanto è importante per voi? Potreste/Vorreste farne a meno?
3. In quali occasioni il telefonino vi dà fastidio e perché? Come vi comportate in questi casi?

E Vocabolario e abilità

1 Abbinate immagini e parole.

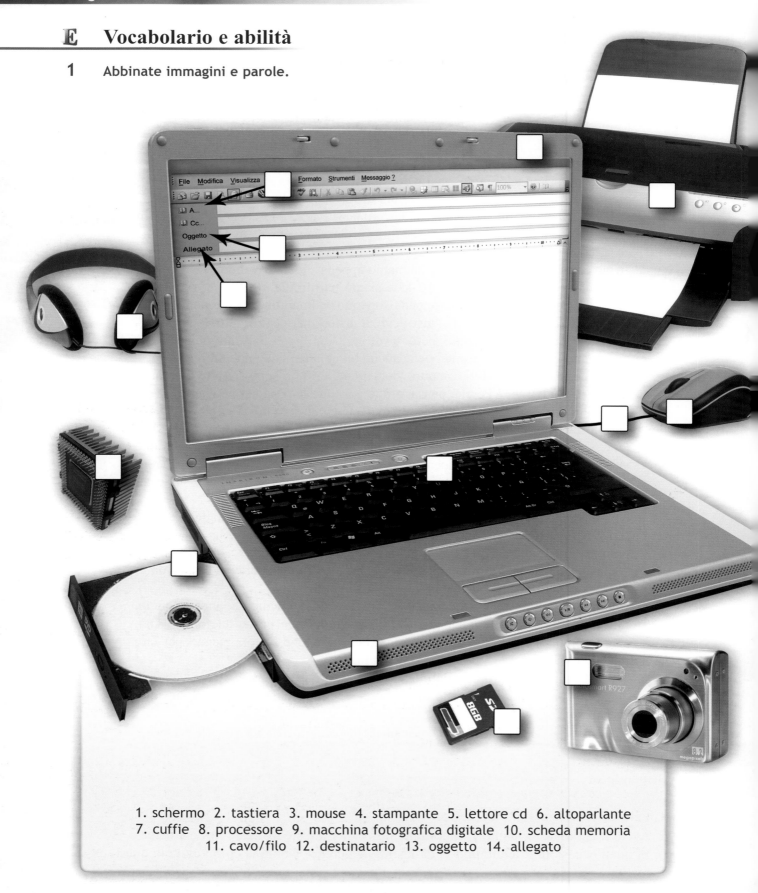

1. schermo 2. tastiera 3. mouse 4. stampante 5. lettore cd 6. altoparlante
7. cuffie 8. processore 9. macchina fotografica digitale 10. scheda memoria
11. cavo/filo 12. destinatario 13. oggetto 14. allegato

2 Lavorate in coppia. Completate la griglia come nell'esempio. Per ogni verbo viene indicato tra parentesi il numero dei possibili abbinamenti.

	il volume	la batteria	un'e-mail	canzoni da Internet	un tasto	un pro-gramma	un file
scaricare (4)							✓
installare (1)							
salvare (3)							
premere (1)							
inviare (2)							
alzare (1)							
ricaricare (1)							

3 **Ascolto** Quaderno degli esercizi

4 **Situazioni**

1. **Sei *A***: anche se sai usare un po' il computer, credi che un corso specifico ti sarebbe molto utile. Non ti interessa tanto un certificato quanto imparare le cose fondamentali: il sistema operativo, i programmi più diffusi e Internet. Chiami una scuola di computer e fai delle domande su lezioni, orari, prezzi ecc.
   Sei *B*: a pagina 200 troverai tutte le informazioni di cui ha bisogno *A*.

2. **Sei *A***: stai viaggiando in treno e ti sei quasi addormentato quando squilla il cellulare della persona seduta accanto a te (*B*) che parla ad alta voce come se fosse a casa sua! Le chiedi gentilmente di abbassare la voce e di togliere la suoneria. In quel momento, però, squilla il tuo telefonino. Rispondi e poi ti giustifichi spiegando che era un'emergenza.
   Sei *B*: rispondi ad *A* spiegandogli i motivi per cui non puoi accontentarlo.

5 **Scriviamo**

1. Hai comprato alcuni libri su una libreria online e hai pagato con la tua carta di credito. Tutto sembra a posto, ma due settimane dopo i libri non sono arrivati. Scrivi un'e-mail ai responsabili del sito per esporre la situazione e chiedere spiegazioni o il rimborso della somma spesa.

2. "Penso che nel mondo ci sarà mercato forse per 4 o 5 computer" (Thomas Watson, Presidente della IBM, 1943): a volte non si comprende subito il valore o l'importanza di certe scoperte. Scrivi le tue impressioni e le tue idee in proposito. *(120-140 parole)*

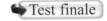
Test finale

Scienziati e inventori italiani

Se la tecnologia ci circonda è anche merito del genio* di alcuni scienziati italiani. Vediamo in breve chi sono stati e qual è stato il loro contributo* al progresso dell'umanità.

Galileo con un suo allievo

Galileo Galilei (1564-1642). Fu il fondatore del metodo scientifico sperimentale*. Compì importantissimi studi ed esperimenti di meccanica, costruì il termoscopio*, ideò e costruì il compasso*, perfezionò il telescopio con il quale scoprì i satelliti di Giove e le macchie solari, la cui osservazione gli provocò problemi di vista, e, infine, inventò il microscopio.

Le sue scoperte astronomiche lo portarono a sostenere la teoria di Copernico, secondo la quale era la Terra a girare intorno al Sole e non il contrario. Tale teoria, però, contraddiceva quella della Chiesa che voleva la Terra al centro dell'universo. Davanti all'Inquisizione*, per evitare la condanna al carcere, l'ormai vecchio Galileo preferì rinnegare* pubblicamente la teoria copernicana. In seguito, però, pronunciò la famosa frase, riferendosi alla terra: "Eppur si muove!".

Alessandro Volta (1745-1827). È dal suo nome che deriva il *volt*, l'unità di misura dell'elettricità. Nel 1779, quando ottenne la cattedra di fisica sperimentale all'Università di Pavia, era già conosciuto per l'invenzione dell'elettroforo, strumento per accumulare* cariche elettriche*. Nel 1800, dopo vari esperimenti, inventò la batteria elettrica, un'invenzione che aprì la via all'uso pratico dell'elettricità.

Antonio Meucci (1808-1889). Nel 1863 riuscì a costruire un apparecchio telefonico, usando la stessa tecnica di trasmissione della voce che si usa ancora oggi. Purtroppo, non aveva i soldi né per brevettare*, né per produrre la sua invenzione, come fece invece Graham Bell, tredici anni dopo, con un apparecchio simile. In seguito, Meucci morì in povertà dopo aver perso la causa contro Bell, che per più di un secolo è stato considerato l'inventore del telefono.

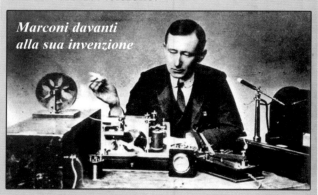

Marconi davanti alla sua invenzione

Guglielmo Marconi (1874-1937). Intuì per primo la possibilità di utilizzare le onde elettromagnetiche per trasmettere messaggi a distanza senza l'uso di fili. A questo scopo perfezionò l'apparecchio trasmittente e quello ricevente con l'uso di un'antenna. Nel 1896 brevettò la sua invenzione e l'anno successivo riuscì a trasmettere segnali a una nave a oltre 15 km di distanza. Negli anni successivi realizzò altri impressionanti esperimenti, tra cui il primo collegamento radiotelegrafico attraverso l'Atlantico. Nel 1909 ottenne il premio Nobel per la Fisica. In seguito si dedicò al perfezionamento della radiotelegrafia e della radio. Con le sue invenzioni, Guglielmo Marconi cambiò praticamente il mondo ed è giustamente considerato il "padre" delle telecomunicazioni.

1. Galileo Galilei

☐ a. influenzò in modo decisivo la scienza
☐ b. era solo inventore
☐ c. non era d'accordo con Copernico
☐ d. rinunciò definitivamente alla sua teoria

2. Sia A. Volta che A. Meucci

☐ a. ottennero il riconoscimento che meritavano
☐ b. diventarono ricchi
☐ c. fecero invenzioni pratiche
☐ d. erano docenti universitari

3. Guglielmo Marconi inventò

☐ a. il telefono cellulare
☐ b. la televisione
☐ c. il telegrafo senza fili e la radio
☐ d. l'antenna

Quale personaggio o invenzione ritenete più importante e perché? Scambiatevi idee.

Leonardo da Vinci (1452-1519). Fu un grande pittore (nella prossima unità vedremo alcuni dei suoi capolavori), ma fu anche uno dei più grandi geni di tutti i tempi: le sue opere di ingegneria e le sue innumerevoli invenzioni ne sono la prova. Vediamo di seguito alcune di quelle che concepì per primo e che sono state realizzate solo molto tempo dopo la sua morte.

A sinistra il progetto di Leonardo per l'elicottero; al centro la bicicletta e, sopra, una ricostruzione dell'automobile che ideò.

Glossario: <u>genio</u>: grande talento e intelligenza; <u>contributo</u>: quello che ciascuno dà per uno scopo comune; <u>sperimentale</u>: detto di un metodo che si basa sull'esperienza e sugli esperimenti; <u>termoscopio</u>: strumento capace di indicare, ma non di misurare, un cambiamento di temperatura in un corpo; <u>compasso</u>: strumento usato per disegnare circonferenze o per misurare brevi distanze; <u>Inquisizione</u>: tribunale della Chiesa cattolica creato nel XIII secolo per giudicare gli eretici, cioè tutti coloro che non seguivano le leggi della Chiesa; <u>rinnegare</u>: non riconoscere più un'idea, una teoria, una fede in cui si credeva; <u>accumulare</u>: raccogliere in gran quantità; <u>carica (elettrica)</u>: quantità di elettricità contenuta in un corpo; <u>brevettare</u>: avere il brevetto, cioè un documento ufficiale che riconosce a una persona la proprietà di un'invenzione e il diritto di sfruttarla.

Attività online

Autovalutazione
Che cosa ricordate delle unità 7 e 8?

1. Sapete...? Abbinate le due colonne. Nella colonna a destra c'è una frase in meno.

1. congratularsi
2. disapprovare
3. fare una domanda indiretta
4. formulare un'ipotesi realizzabile
5. formulare un'ipotesi impossibile
6. presentare un fatto come facile

a. Non è stato un problema, anzi.
b. Se avessi potuto, sarei venuta.
c. Se è così, ti faccio i complimenti!
d. Ha chiesto se tu avessi dei problemi.
e. Ma non è possibile, sempre questa storia!

2. Abbinate le frasi.

1. Stefania ha perso il cellulare.
2. Perché avete cambiato idea?
3. Papà, anche questa volta non ce l'ho fatta.
4. Ecco, il cd che mi avevi chiesto.
5. Congratulazioni, come avete fatto?

a. Perché non ne valeva la pena.
b. Bravo, credevo l'avessi dimenticato.
c. È incredibile... è la terza volta in un mese!
d. Mah, una cosa da nulla.
e. Ma non è possibile! Avevi studiato tanto!

3. Completate o rispondete.

1. Il 'padre' delle telecomunicazioni: ....
2. Altri due grandi scienziati italiani: ....
3. *Ci* può sostituire vari tipi di pronomi, scrivetene due: ....
4. Il congiuntivo trapassato di *essere* (seconda pers. plurale): ....

4. Scrivete i verbi da cui derivano i sostantivi e viceversa.

1. l'installazione ....
2. il collegamento ....
3. allegare ....
4. chiamare ....
5. inventare ....
6. stampare ....
7. il riciclaggio ....
8. il clic ....

Verificate le vostre risposte a pagina 203. Siete soddisfatti?

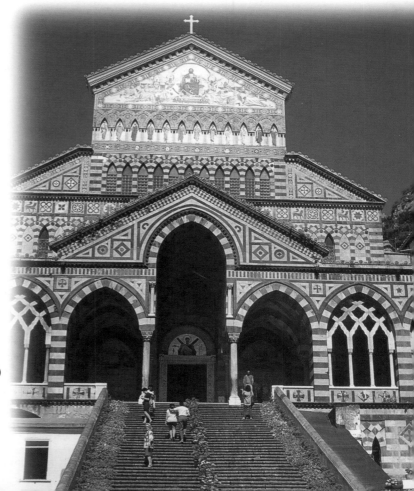

Duomo di Amalfi (Campania)

L'arte... è di tutti!

Per cominciare...

 1 Secondo voi, qual è il titolo e l'autore di queste opere? In coppia, fate gli abbinamenti. Quale di queste opere vi piace di più e perché?

  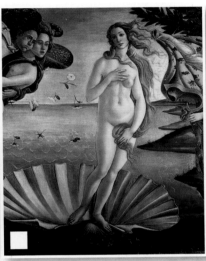

1. **Caravaggio**, *Ragazzo con il liuto* (1595), 2. **Leonardo da Vinci**, *La Monna Lisa* (1510-15),
3. **Michelangelo**, *La creazione di Adamo* (1510), 4. **Botticelli**, *La Nascita di Venere* (1484), 5. **Giorgio De Chirico**, *Mistero e malinconia di una strada* (1914), 6. **Raffaello**, *La scuola di Atene* (1509)

2 Ascoltate il dialogo. Quali degli artisti del punto precedente avete sentito nominare?

3 Ascoltate di nuovo e indicate le affermazioni corrette.

1. Francesco si meraviglia che
   - a. siano state rubate tante opere
   - b. ci sia stato un furto agli Uffizi
   - c. siano state rubate opere famose
   - d. la polizia abbia già arrestato i ladri

2. Il furto è avvenuto
   - a. subito dopo la chiusura
   - b. prima dell'apertura della Galleria
   - c. mentre la Galleria era piena di gente
   - d. durante la notte

3. I ladri
   - a. lavoravano come guardiani
   - b. hanno arrestato i guardiani
   - c. si sono vestiti da guardiani
   - d. sono fuggiti senza problemi

4. Le opere rubate
   - a. sono state trovate
   - b. non sono facili da vendere
   - c. sono state vendute a un prezzo altissimo
   - d. non sono molto importanti

In questa unità...

1. ...impariamo a riportare una notizia, a chiedere conferma, a confermare qualcosa e a parlare di arte;
2. ...conosciamo la forma passiva e il *si* passivante;
3. ...troviamo alcuni proverbi italiani, informazioni sull'arte e sugli artisti italiani.

A Furto agli Uffizi!

1 In base a quello che ricordate, completate il dialogo. In seguito, riascoltatelo per confermare le vostre risposte.

Stefania: Hai sentito del furto agli Uffizi, no?

Francesco: Agli Uffizi?! Dai... Ma, sul serio?!

Stefania: Sì, una cosa ....! Dalla sala restauro sono state rubate opere di Tiziano, di Caravaggio e di Leonardo!

Francesco: Dio mio! Agli Uffizi che è considerato uno dei .... più sicuri del mondo?!

Stefania: È veramente un mistero. A quanto pare, il furto è avvenuto sabato mattina!

Francesco: E pensare che la Galleria viene visitata da .... di persone ogni giorno. Magari i ladri si saranno vestiti da guardiani. L'ho visto fare in un film...

Stefania: Non credo. Secondo il telegiornale, hanno approfittato della ...., non sono stati notati dai guardiani, quelli veri, e poi chi si è visto si è visto.

Francesco: E ora, chissà a che cifre saranno venduti questi ....!

Stefania: Dici? Mah, non lo so, sono troppo noti e anche troppo cari. Chi li potrebbe comprare? Certo non un altro museo!

Francesco: No, ma possono essere comprati da qualche .... Ricordo un film in cui c'era un ricco imprenditore che commissionava a dei ladri furti di opere d'arte per poterle .... da solo, in solitudine.

Stefania: Comunque, ho sentito che i custodi vengono interrogati dai Carabinieri. Secondo me, qualcuno di loro è coinvolto nel ....

Francesco: Non c'è dubbio: anche questo l'ho visto in un film!

La Galleria degli Uffizi e, sullo sfondo, Palazzo Vecchio.

2 Lavorate in coppia. Scegliete le affermazioni corrette.

1. Quando viene a sapere del furto, Francesco dice "Dai..." perché: a. aveva già sentito la notizia, b. la notizia non lo sorprende, c. non si aspettava questa notizia.

2. Stefania dice "A quanto pare..." come per dire: a. "sicuramente", b. "probabilmente", c. "incredibilmente".

3. Quando poi Stefania dice "chi si è visto si è visto!" intende che: a. la polizia sa chi sono i ladri, b. c'è chi ha visto i ladri, c. i ladri sono scappati via.

4. Francesco, infine, parla di qualcuno che "commissionava furti di opere d'arte" nel senso che: a. le rubava per abitudine, b. qualcun altro le rubava per lui, c. le rubava molto spesso.

3 Vediamo ora il servizio del telegiornale sul furto agli Uffizi. Completate il testo con i verbi che seguono: *sono stati rubati, saranno interrogati, sono state rubate, è considerata, sono stati notati, sono stati ripresi, viene visitata.*

giornalista:	Apriamo il nostro telegiornale con il clamoroso furto avvenuto ieri alla *Galleria degli Uffizi*, a Firenze: dalla sala restauro .... preziosissime opere di Tiziano, di Caravaggio e di Leonardo da Vinci. Ci colleghiamo subito con il nostro inviato, Filippo Giornalini. Buongiorno, Filippo.
inviato:	Buongiorno, Anna. Come hai detto, ... quadri di inestimabile valore... e pensare che quella degli Uffizi .... una delle gallerie più sicure del mondo e ogni giorno .... da migliaia di persone.
giornalista:	Filippo, i ladri .... dalle telecamere?
inviato:	Probabilmente no. E purtroppo non .... neanche dai guardiani. Come ha annunciato stamattina il Ministro per i Beni Culturali, i custodi .... dai Carabinieri: pare che uno di loro sia coinvolto nel furto.
giornalista:	Ma ci sono già informazioni al riguardo?
inviato:	No, Anna, ma è chiaro: nei film succede sempre così!!!

4 Che fine hanno fatto i quadri rubati? Scrivete un breve testo *(60-80 parole)* in cui immaginate che cosa è successo alle opere dopo il furto.

5 I verbi dati nell'attività 3 sono alla forma passiva. Come si forma in italiano? E nella vostra lingua?

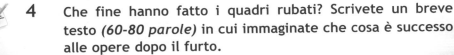

6   Osservate la tabella e poi cercate di completare le frasi.

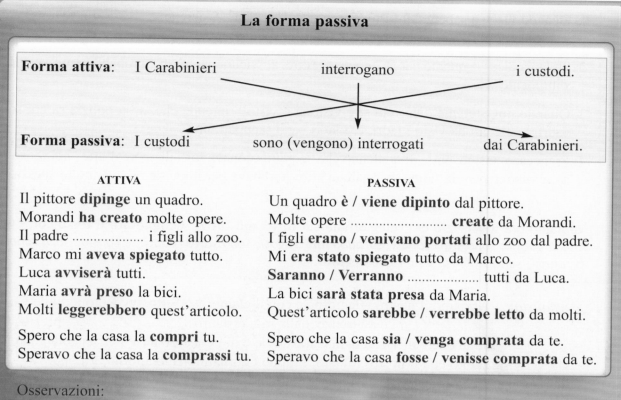

La forma passiva

Forma attiva: I Carabinieri   interrogano   i custodi.

Forma passiva: I custodi   sono (vengono) interrogati   dai Carabinieri.

ATTIVA	PASSIVA
Il pittore **dipinge** un quadro.	Un quadro **è / viene dipinto** dal pittore.
Morandi **ha creato** molte opere.	Molte opere .... **create** da Morandi.
Il padre .... i figli allo zoo.	I figli **erano / venivano portati** allo zoo dal padre.
Marco mi **aveva spiegato** tutto.	Mi **era stato spiegato** tutto da Marco.
Luca **avviserà** tutti.	**Saranno / Verranno** .... tutti da Luca.
Maria **avrà preso** la bici.	La bici **sarà stata presa** da Maria.
Molti **leggerebbero** quest'articolo.	Quest'articolo **sarebbe / verrebbe letto** da molti.
Spero che la casa la **compri** tu.	Spero che la casa **sia / venga comprata** da te.
Speravo che la casa la **comprassi** tu.	Speravo che la casa **fosse / venisse comprata** da te.

Osservazioni:

1. Usiamo la forma passiva quando concentriamo l'attenzione più sull'azione (*I custodi vengono interrogati*) e non tanto su chi la compie (*...dai Carabinieri*).
2. Come potete notare, nei tempi semplici possiamo usare sia *essere* che *venire*. Nei tempi composti, invece, solo il verbo *essere*.
3. La forma passiva è sempre composta da una parola in più rispetto a quella attiva.

   In Appendice a pagina 190 troverete i pronomi diretti nella forma passiva.

7   Abbinate le due colonne.

1. I quadri *sono stati*
2. Il nuovo museo *sarà*
3. A Roma *verrà*
4. Sperava che il suo libro *venisse*
5. Le sue opere *sarebbero*
6. L'indagine *è*

a. *organizzata* un'importante mostra d'arte.
b. *apprezzate* di più, se fossero comprensibili.
c. *letto* da tutti.
d. *comprati* da un collezionista.
e. *inaugurato* domenica prossima.
f. *condotta* a livello internazionale.

8   Completate le frasi mettendo il verbo tra parentesi alla forma passiva.

1. La notizia *(pubblicare)* ieri su tutti i giornali.
2. Ho sentito che il direttore vendite *(licenziare)* domani.
3. Questi maglioni *(fabbricare)* in Italia.
4. Un'auto elettrica *(comprare)* da tutti, se costasse poco.
5. *'O sole mio (cantare)* anche da Elvis Presley, con il titolo *It's now or never.*

1 - 6

B   Certo che è così!

41

1   Ascoltate i mini dialoghi e abbinateli alle foto. C'è un mini dialogo in più!

2   Ascoltate di nuovo e completate la tabella con alcune delle espressioni che avete ascoltato.

Chiedere conferma / Confermare	
Chiedere conferma	**Confermare qualcosa**
...........................?	È ....
...........................?	Non ....
È vero che...?	*Ti posso garantire che...*
Davvero...?	*Ti assicuro che...*
...è così, vero?	*Non scherzo... / Dico sul serio...*

3   Scrivete due frasi (domande o risposte) in cui usate le espressioni del punto precedente.

....

....

➡ 7

4 In coppia, cercate di risalire alla forma *attiva* di questa frase:

Il volo deve essere confermato dai viaggiatori. ....

5 Osservate la tabella e completate le frasi.

La forma passiva con *dovere* e *potere*

Tu dovrai consegnare personalmente tutti gli inviti.
Tutti gli inviti **dovranno essere consegnati** da te personalmente.
Nessuno può comprare una statua di Michelangelo.
Una statua di Michelangelo non **può essere comprata** da nessuno.

1. Mi hanno avvisato che i nostri bagagli non *(potere spedire)* oggi.
2. Mi raccomando, signorina, il fax *(dovere inviare)* al più presto.
3. Questo capitolo *(dovere spiegare)* meglio: è molto importante.
4. Secondo il giornale, i contratti *(potere firmare)* anche ieri.

 8 e 9

6 Leggete il testo e le didascalie delle immagini e indicate le affermazioni veramente esistenti.

Michelangelo Buonarroti

È uno dei più grandi artisti di tutti i tempi. Nasce a Caprese nel 1475. Dopo le prime opere va a Roma dove, nel 1500, scolpisce la *Pietà* esposta in San Pietro in Vaticano. Tornato a Firenze, dipinge *La Sacra famiglia* (Uffizi) e scolpisce il *David*, allora collocato in Piazza della Signoria (oggi l'originale si trova nell'Accademia). Nel 1508 Michelangelo comincia ad affrescare la volta della Cappella Sistina. Con gravi problemi alla vista, a causa delle difficili condizioni di lavoro, nel 1512 termina il magnifico affresco e l'anno dopo crea un'altra statua, il *Mosè* che si trova in San Pietro in Vincoli.

Nel 1534, dopo alcuni anni a Firenze, torna a Roma dove fino al 1541 lavora all'affresco del *Giudizio Universale* nella stessa Cappella Sistina. Nell'ultima fase della sua vita si dedica soprattutto all'architettura, con la risistemazione di Piazza del Campidoglio, oggi sede del Comune di Roma, e l'edificazione della cupola di San Pietro. Muore nel 1564 a Roma.

A fianco, gli affreschi della volta della *Cappella Sistina* dopo il restauro (durato molti anni e costato parecchi milioni di euro): uno dei più grandi capolavori artistici mai creati. Tra le figure e gli episodi biblici si possono osservare *Il Peccato originale* (1) e più in basso *La Creazione dell'Uomo* (2).

Cristo Giudice al centro dell'affresco del *Giudizio Universale*. Il restauro ha fatto riemergere gli autentici e vivaci colori usati dal grande Maestro quasi cinque secoli fa. L'opera rappresenta la fine del mondo e la condanna definitiva dei peccatori che si trovano intorno a Dio.

☐ 1. Il talento di Michelangelo fu riconosciuto molto presto.
☐ 2. Il lavoro nella Cappella Sistina gli provocò problemi di salute.
☐ 3. Preferiva scolpire statue piuttosto che dipingere.
☐ 4. Il *David* è la sua statua più importante.
☐ 5. Concluse gli affreschi della Cappella Sistina in circa vent'anni.
☐ 6. Fu l'architetto della famosa cupola di San Pietro.
☐ 7. I soggetti delle sue opere erano soprattutto religiosi.
☐ 8. L'ultimo restauro della Cappella Sistina è durato cinque anni.

C Opere e artisti

 1 Roma è famosa anche per le sue fontane, ma le più visitate dai turisti e dai romani stessi sono queste tre. Come si chiamano? Ascoltate il brano e verificate le vostre risposte.

....

 2 Ascoltate il brano e completate le affermazioni (massimo quattro parole).

1. I lavori, su progetto di Nicola Salvi, ...

2. Una celebre tradizione vuole che porti fortuna lanciare una moneta nella fontana, perché in questo modo si ....

3. Il papa potè finanziare la fontana disegnata da Bernini grazie ad alcune ....
....

4. Il gigante che rappresenta il Rio della Plata è stato raffigurato con il braccio alzato ....
....

5. La fontana della Barcaccia, in Piazza di Spagna, è la meno appariscente ....
....

6. Bernini progettò una vecchia barca semiaffondata, una *barcaccia*, che giace ....
....

3 Rispondete.

1. Perché è famosa la Fontana di Trevi?
2. Dove si trova la Fontana dei Quattro Fiumi?
3. Cosa hanno in comune la Fontana dei Quattro Fiumi e la Barcaccia?

4 Osservate la tabella e riformulate le frasi che seguono.

> ### La forma passiva con il verbo *andare*
>
> Questo problema **va risolto** con calma. = *deve essere risolto*
> La trasmissione **andava vista** a tutti i costi. = *doveva essere vista*
> I regali **vanno** sempre **accettati**. = *devono essere accettati*
> Le persone anziane **vanno rispettate**. = *devono essere rispettate*

1. Secondo l'autore, il libro *doveva essere letto* da tutti.
2. Le merci *devono essere spedite* quanto prima.
3. L'insegnante ha detto che la forma passiva *doveva essere studiata*.
4. Un segreto non *deve essere rivelato* a nessuno.

5 Completate il testo con le parole mancanti. Usate una sola parola per ogni spazio.

La Gioconda o Monnalisa

Leonardo da Vinci

L'artista. Nel 1472, a soli vent'anni, dipinge a Firenze l'*Annunciazione* (Uffizi). Nel 1481 comincia l'*Adorazione dei magi* (Uffizi) (1)........................ lascia incompiuta per andare a Milano, dove (2)........................ circa vent'anni è al servizio di Ludovico il Moro (3)........................ pittore, scultore, architetto, regista e scenografo. A questo periodo appartengono *La Vergine delle rocce* e il famosissimo *Cenacolo* o *Ultima cena*, che si (4)........................ nel convento di Santa Maria delle Grazie, a Milano.
Nel 1501 torna di (5)........................ a Firenze dove dipinge *La Gioconda* (Louvre), sul (6)........................ sorriso enigmatico sono state avanzate tante teorie. Passa un secondo periodo fertile a Milano e muore in Francia nel 1517, dove era stato chiamato dal re Francesco I, suo (7)........................ ammiratore. Nei suoi dipinti applica la tecnica dello sfumato, cioè del morbidissimo chiaroscuro, frutto della sua sperimentazione tecnica.
Lo scienziato. Si occupa di anatomia, astronomia, idraulica, fisica, matematica e ottica. Le sue invenzioni e i suoi studi fanno di Leonardo forse il più grande genio di (8)........................ i tempi. Disegnò tantissime macchine (ad esempio elicotteri, carri armati) tutte rivoluzionarie per quell'(9)........................ . Lasciò oltre 7.000 manoscritti con schizzi, disegni, commenti, studi, tra cui il *Codice Atlantico*, il *Codice Arundel* e quello *sul* (10)........................ *degli uccelli* (anche per questo l'aeroporto di Roma si chiama *Leonardo da Vinci*).

L'*Ultima cena* (o *Cenacolo*): in questa meravigliosa opera Leonardo cerca di interpretare in maniera moderna un tema più volte affrontato in pittura. Così dà importanza alle reazioni emotive degli Apostoli all'annuncio di Gesù che qualcuno di loro lo tradirà.

 6 **Rispondete.**

1. Quali sono le opere più famose di Leonardo da Vinci? Cosa ne pensate? Scambiatevi idee.
2. Conoscete qualche teoria sul sorriso di Monnalisa? Parlatene.
3. Fate un breve confronto tra Michelangelo e Leonardo.

D Si vede?

 1 In coppia, leggete i due slogan pubblicitari e riflettete. Che cosa non si paga? Cosa si giudica dall'etichetta?

IL DESIGN C'È, SI VEDE, MA NON SI PAGA.

UN DIVANO 3 POSTI IN VERA PELLE A PARTIRE DA 70 EURO AL MESE.

LA QUALITÀ E LA BONTÀ DI UN GRATTUGIATO SI GIUDICANO DALL'ETICHETTA

Parmigiano Reggiano, Grana Padano ed Emmentaler Svizzero stagionati con cura, grattugiati e confezionati freschi, per garantirti il massimo della qualità. E' GranMix, la ricetta più classica di Ferrari. Al suo gusto unico, è impossibile resistere.

Ferrari. Dal 1823, solo il meglio.

GranMix
Ricetta Classica

DAL 1823
Ferrari
SOLO IL MEGLIO

2 Completate la tabella.

> ## *si* passivante
>
> L'espresso *è bevuto* a tutte le ore.   ⇨   L'espresso **si beve** a tutte le ore.
> La pasta *viene mangiata* al dente.   ⇨   La pasta .... al dente.
> Ormai non *vengono letti* molti libri.   ⇨   Ormai non **si leggono** molti libri.
> Ogni giorno *vengono inviate* molte e-mail.   ⇨   Ogni giorno **si inviano** molte e-mail.
>
> Il *si* passivante è una forma passiva impersonale ed è spesso preferibile quando non sappiamo chi compie l'azione. Il verbo (*si inviano*) ha sempre un soggetto (*e-mail*) con cui concorda.
>
> In Appendice a pagina 190 troverete una tabella completa sul *si* passivante.

3 Formate delle frasi con il *si* passivante.

1. Il buon giorno *(vedere)* dal mattino.
2. Durante una lite spesso *(dire)* cose che possono far male.
3. Scherzi così non *(fare)*: qualcuno potrebbe offendersi.
4. Purtroppo in TV *(trasmettere)* scene di violenza anche nel pomeriggio!
5. In Italia *(vendere)* moltissime automobili Fiat.

11 - 13

4 La frase 3.1 è un proverbio italiano. Lavorando in coppia, cancellate la versione che non vi sembra logica, come nell'esempio, e scopritene altri.

1. *Una rondine non fa primavera / ~~niente~~.*

2. Tra il dire e il parlare / fare c'è di mezzo il mare.

3. Troppi galli a cantar non fa mai giorno / freddo.

4. Quando il gatto non c'è i topi lo cercano / ballano.

5. Peccato confessato non è / è mezzo perdonato.

6. L'abito non fa il monaco / la moda.

7. Non tutto il male vien a cena / per nuocere.

8. Tra moglie e marito non tagliare / mettere il dito.

9. L'appetito / Mio zio vien mangiando.

10. Moglie e buoi dei paesi tuoi / europei.

11. Le bugie hanno le gambe brutte / corte.

12. I panni sporchi si lavano in lavanderia / famiglia.

13. Patti chiari amicizia / giornata lunga.

14. Meglio tardi che sempre / mai.

5 Rispondete.

1. Avete capito tutti i proverbi? Quali esistono anche nella vostra lingua?
2. Cercate di tradurre in italiano due o tre noti proverbi del vostro paese. Poi leggeteli ai compagni: avete pensato agli stessi proverbi?

6 Scrivete una composizione *(120-140 parole)* che finisca o che cominci con uno dei proverbi visti. In alternativa potete scrivere due brevi racconti *(60-80 parole ciascuno)*.

7 Osservate le prime due frasi. Poi, in coppia, completate le altre due.

Il *si* passivante nei tempi composti

Si è costruito un nuovo parcheggio accanto alla stazione del metrò.
I risultati **si sono ottenuti** dopo tanto lavoro e molti sacrifici.

In Italia non *(investire)* **si** .... mai molto denaro nella ricerca.
Per arrivare all'accordo *(superare)* **si sono** .... tante difficoltà.

 14

E   Ladri per natura?

1 Secondo voi, chi ruba è sempre da condannare? Leggete il testo per vedere se le vostre idee coincidono con quelle del protagonista.

Ladri in chiesa

Che fa il lupo quando la lupa e i lupetti hanno fame e stanno a pancia vuota litigando tra loro? Io dico che il lupo va in cerca di roba da mangiare e magari, dalla disperazione, scende al paese ed entra in una casa. E i contadini che l'ammazzano hanno ragione di ammazzarlo; ma anche lui ha ragione di entrare in casa loro e di morderli.

Quell'inverno io ero come il lupo e, anzi, proprio come un lupo, non abitavo in una casa ma in una grotta, laggiù, sotto Monte Mario. La sera quando ci tornavo e vedevo mia moglie sul materasso che mi guardava, e il bambino che teneva al petto che mi guardava, e i due bambini più grandi che giocavano per terra che mi guardavano, e leggevo in quegli otto occhi la stessa espressione affamata, pensavo: "Uno di questi giorni se non gli porto da mangiare, vuoi vedere che mi mordono?"

Fu Puliti che mi suggerì l'idea della chiesa e mi mise una pulce nell'orecchio, sebbene, poi, non ci pensassi e non ne parlassi più. Ma le idee, si sa, sono come le pulci e, quando meno te lo aspetti, ti danno un morso e ti fanno saltare in aria. Così, una di quelle sere ne parlai a mia moglie. Ora bisogna sapere che mia moglie è religiosa e al paese, si può dire, stava più in chiesa che in casa. Disse subito: "Che, sei diventato matto?" Io le risposi: "Questo non è un furto... la roba, nella chiesa perché ci sta? Per fare il bene... Se noi prendiamo qualche cosa, che facciamo? Facciamo il bene... A chi, infatti, si dovrebbe fare il bene se non a noi che abbiamo bisogno? Non è scritto forse che bisogna dare da mangiare agli affamati?" "Sì." "Siamo o non siamo affamati?" "Sì." "Ebbene in questo modo facciamo un'opera buona." Insomma tanto dissi, sempre insistendo sulla religione che era il suo punto debole, che la convinsi...

adattato da *Racconti romani* di Alberto Moravia

2 Rispondete.

1. Come riesce il protagonista a convincere sua moglie?
2. In che condizioni vive la famiglia? Da quali espressioni si capisce?
3. Immaginate e raccontate la fine del racconto.

Alberto Moravia

3 In coppia individuate quali delle affermazioni che seguono sono vere e quali sono false. Potete consultare anche le tabelle delle pagine precedenti. Le risposte le troverete a pagina 191.

V F	Tutti i verbi possono avere la forma passiva.	
V F	Il verbo *venire* si usa solo nei tempi semplici.	
V F	Preferiamo la forma passiva quando ci interessa chi fa l'azione.	
V F	Il verbo *andare* dà un senso di necessità.	
V F	La forma passiva dei verbi modali (*dovere* - *potere*) si forma con l'infinito del verbo *avere*.	
V F	La differenza tra il *si* impersonale e il *si* passivante sta nel fatto che il verbo di quest'ultimo ha un soggetto con cui concorda.	

15 - 17

F Vocabolario e abilità

1 Lavorate in coppia. Nove di queste parole sono relative all'arte. Quali?

- pittura
- architetto
- ufficio
- astratta
- capolavoro
- restauro
- carabinieri
- capelli
- scultore
- mostra
- affresco
- statua

2 Abbinate le parole alle immagini.

a. natura morta   b. ritratto   c. paesaggio

3   Raccontate, oralmente o per iscritto, la storia che segue.

4   **Ascolto**   Quaderno degli esercizi

5   **Situazioni**

1. **Sei A**: visiterai Roma per la prima volta. Chiama *B*, che ci è già stato più volte, per chiedere informazioni sui musei più importanti della capitale, su come arrivarci, sugli orari, su alcune opere che vorresti vedere e così via.
   Sei B: consulta la breve guida che si trova a pagina 201 e fornisci ad *A* le informazioni richieste.

2. Sei *A*: vai in una galleria d'arte che vende quadri per trovare un dipinto per la tua casa/camera. Non hai le idee molto chiare, ti guardi intorno e chiedi aiuto al commesso. Lui (*B*) ti propone riproduzioni di opere classiche, ad esempio del Rinascimento italiano, ma tu vorresti qualcosa di più originale.

La Pietà di Michelangelo, San Pietro in Vaticano

Test finale

L'arte in Italia

Italia significa arte. È in Italia, infatti, che troviamo buona parte del patrimonio artistico mondiale ed è sempre in Italia che sono nati o si sono sviluppati importanti movimenti artistici, come ad esempio il Rinascimento*.

Il famosissimo colonnato di Piazza S. Pietro, realizzato da **Gianlorenzo Bernini** alla metà del '600.

Dal 1600 a oggi

L'arte italiana, naturalmente, non si esaurisce con Leonardo e Michelangelo. Bernini e Caravaggio nel '600; Luigi Vanvitelli, l'architetto della Reggia* di Caserta (pagina 148), nel '700; il pittore Giovanni Fattori nell'Ottocento: sono solo alcuni nomi di spicco* di una lunga e ricca tradizione artistica. Ma l'Italia ha continuato ad avere grandissimi esponenti in tutti i campi dell'arte anche nel '900. Tra i più noti, ricordiamo i pittori-scultori Amedeo Modigliani e Umberto Boccioni; i pittori Giorgio Morandi, famoso per le sue nature morte, e Renato Guttuso, uno dei più valutati in Italia; e, infine, lo scultore Arnaldo Pomodoro.

Caravaggio, "La conversione* di S. Paolo" (1601): lo stile rivoluzionario di Caravaggio ha esercitato una grande influenza su grandi pittori europei (Velasquez, Rembrandt).

Renato Guttuso, "Vucciria" (1974). Il pittore ha svolto un ruolo fondamentale nell'evoluzione in senso "realista" e "impegnato"* della pittura italiana.

Amedeo Modigliani, "Jeanne Hebuterne con grande cappello" (1918): uno dei tanti ritratti femminili dalla caratteristica figura allungata. Lo stile lineare dell'artista risente dell'arte africana e del cubismo.

Umberto Boccioni, massimo esponente del movimento futurista* nei primi anni 20 del '900. La sua opera più famosa, "Forme uniche nella continuità dello spazio" (1913), è raffigurata sul retro delle monete italiane da 20 centesimi d'euro.

Arnaldo Pomodoro, "Grande Disco" (1972), Milano, Piazza Meda.

Gae Aulenti, Musée d'Orsay, Parigi.

"London Bridge Tower" (la "scheggia") di **Renzo Piano**.

Sergio Pininfarina accanto a uno dei tanti modelli da lui disegnati.

Il "Pendolino" firmato **Giugiaro**.

L'arte contemporanea è… a portata di mano!

Molti artisti contemporanei, come i loro più famosi predecessori, hanno realizzato opere su commissione* in tutto il mondo. Si tratta certamente di opere diverse, più attuali: monumenti cittadini, aeroporti, stazioni ferroviarie, grattacieli e così via.

Il gusto e l'estetica italiani, così celebrati* all'estero, sono infatti la degna* eredità dei grandi artisti del passato: architetti e designer contemporanei lavorano oggi in ogni angolo del mondo non solo per realizzare importanti edifici o monumenti, ma anche per disegnare la linea sinuosa* di mezzi di trasporto, come l'ultimo modello dell'*Alfa Romeo* o alcuni treni ad alta velocità fino a oggetti di uso quotidiano. I loro nomi sono forse meno noti al grande pubblico, ma sicuramente ognuno di noi, ovunque si trovi, ha "usato" le loro creazioni più di una volta! Potreste infatti aver viaggiato su un treno disegnato da Giugiaro per raggiungere un aeroporto progettato da Renzo Piano o aver visitato un museo realizzato da Gae Aulenti, aver atteso il vostro volo seduti comodamente su una poltrona *Frau*. Insomma, la nuova arte non è più solo nei musei: per apprezzarla basta… guardarsi bene intorno!

Glossario: <u>Rinascimento</u>: movimento artistico e culturale diffusosi in Europa fino al XVI secolo; <u>reggia</u>: abitazione, palazzo del re; <u>spicco</u>: detto di personaggi che hanno una certa importanza; <u>conversione</u>: passaggio a una nuova fede religiosa; <u>impegnato</u>: che si occupa, e si preoccupa, dei problemi sociali e politici; <u>futurista</u>: detto di movimento artistico-letterario nato in Italia agli inizi del XX secolo, ispirato al dinamismo della vita moderna; <u>commissione</u>: incarico, lavoro svolto per altri; <u>celebrare</u>: esprimere approvazione per qualcosa o qualcuno, lodare pubblicamente; <u>degna</u>: che, per proprie qualità, si merita onore, rispetto, stima; <u>sinuosa</u>: con curve, ondulata.

Dopo aver letto i testi e le didascalie rispondete alle domande.

1. Perché l'arte di Caravaggio è stata importante a livello europeo?
2. Chi è stato il massimo esponente del Futurismo italiano?
3. Qual è la caratteristica principale delle donne di Modigliani?
4. Che tipo di opere creano gli artisti italiani contemporanei?
5. Che cosa hanno in comune Gae Aulenti e Renzo Piano?

Attività online

Autovalutazione
Che cosa ricordate delle unità 8 e 9?

1. Abbinate le frasi.

1. È arrivata la lettera che aspettavi.
2. Sai, Mario esce con Daniela.
3. Ma tu come l'hai capito?
4. Presto sapremo se dice la verità.
5. Ma ha fatto tutto da solo?

a. Ma chi se ne frega!?
b. No, si faceva aiutare da suo fratello.
c. Carla mi ha messo la pulce nell'orecchio.
d. Meglio tardi che mai.
e. Eh, le bugie hanno le gambe corte...

2. Sapete...? Fate l'abbinamento.

1. fare un'ipotesi realizzabile
2. chiedere conferma
3. confermare qualcosa
4. riallacciarsi a un discorso
5. congratularsi

a. Ti assicuro che le cose sono andate così.
b. Ma sul serio ha detto così?
c. Ingegnere, mi complimento con Lei!
d. Se mi dicessi la verità, ti potrei aiutare.
e. A proposito, com'era la festa?

3. Completate le frasi con le parole date. Dove necessario mettete le parole al plurale.

ladro rubare scultore artista capolavoro pittore opera furto Carabiniere

1. Con le moderne misure di sicurezza è molto difficile che si riesca a .... una famosa .... d'arte.
2. Il .... è stato arrestato dai .... un mese dopo il ....
3. Botticelli fu tra i più grandi .... del '400 e *La nascita di Venere* è uno dei suoi ....
4. Michelangelo non era solo un ....: infatti, è considerato anche uno dei più grandi .... di tutti i tempi.

4. Completate o rispondete.

1. L'autore dell'*Ultima cena*: ....
2. L'autore degli affreschi della Cappella Sistina: ....
3. Disse "Eppur si muove!": ....
4. La forma passiva di "Gianni invitava spesso Teresa": ....
5. "Va visto" significa: ....

Verificate le vostre risposte a pagina 203. Siete soddisfatti?

La Reggia
di Caserta (Campania)

Per cominciare...

1 Lavorate in coppia. Quali di queste parole conoscete? Potreste spiegarne, in italiano, il significato ai vostri compagni?

furto	tizio
rubare	porta blindata
ladro	allarme

2 Ascoltate le prime quattro battute (fino ad "allarme modernissimo.") del dialogo che racconta una storia vera! Secondo voi, che cosa è successo a Ivana?

3 Ascoltate ora l'intero dialogo e verificate le vostre ipotesi.

4 Ascoltate di nuovo e indicate le affermazioni veramente presenti.

☐ 1. C'è stato un furto in un appartamento.
☐ 2. Ivana vive da sola.
☐ 3. Il sistema d'allarme non ha funzionato.
☐ 4. L'appartamento di Ivana aveva una porta blindata.
☐ 5. I ladri non hanno fatto in tempo a rubare molte cose.
☐ 6. Ivana ha visto i ladri in faccia.
☐ 7. I ladri hanno rubato anche il televisore di un vicino.
☐ 8. I ladri erano mascherati.
☐ 9. Ivana ha parlato con i ladri.
☐ 10. Quando Ivana è entrata in casa è rimasta senza parole.

In questa unità...

1. *...impariamo a raccontare un'esperienza negativa, a riportare le parole di qualcuno, a esprimere indifferenza, a parlare di problemi sociali;*

2. *...conosciamo la differenza tra il discorso diretto e il discorso indiretto;*

3. *...troviamo informazioni su alcuni aspetti e problemi della società italiana di oggi.*

A   Criminalità e altre... storie

1   Leggete il dialogo e verificate le vostre risposte all'attività precedente.

Luca: Hai sentito cos'è successo a Ivana?

Anna: A Ivana? No! Che cosa le è capitato?

Luca: L'ho vista stamattina che usciva dalla Questura, mi ha detto che ieri le sono entrati i ladri in casa...

Anna: No! Ma... a quanto ne so aveva installato un sistema d'allarme modernissimo!

Luca: No, mi ha detto che era troppo caro e aveva comprato "solo" una porta blindata.

Anna: "Solo", eh? Evidentemente non è bastata. E cosa hanno rubato?

Luca: Tutto, in pratica: hanno preso i divani, le poltrone, i quadri, i tappeti, il televisore... ma la cosa più assurda è che mi ha detto di aver visto praticamente i ladri all'opera!

Anna: Cosa???

Luca: Sì, ha notato sotto casa il camion di una ditta di traslochi, e poi dalle scale ha visto scendere dei tizi che portavano via un grande televisore e Ivana ha subito notato che era come il suo!

Anna: ...Quelli erano i ladri!?

Luca: Sì, travestiti da facchini! Sai che le hanno detto? "Signora, questo modello ormai ce l'hanno tutti!"

Anna: Che faccia tosta!

Luca: Sì, davvero! Allora Ivana si è messa a parlare con loro: "Che caldo che fa, eh?", gli ha detto; "Non deve essere facile lavorare con questa umidità!" e ha aperto il portone per aiutarli!

Anna: Ma è il colmo! E loro?

Luca: Niente, le hanno detto "Grazie mille, signora!" e sono usciti tranquillamente!

Anna: Immagino che faccia ha fatto Ivana quando è entrata in casa.

Luca: Sì, mi ha detto che non credeva ai suoi occhi. E pensare che li ha anche salutati!

2   **Indicate lo scopo comunicativo che hanno queste frasi nel dialogo.**

1. Nel dialogo Anna dice "a quanto ne so" e intende dire:
☐ a. "da quello che so"
☐ b. "non conosco il risultato"
☐ c. "non mi sembra"

2. Più avanti Anna dice "Ma è il colmo!", come per dire:
☐ a. "Che cosa divertente!"
☐ b. "Che bello!"
☐ c. "È una cosa davvero incredibile!"

3. Anna infine dice "Che faccia tosta!", intende dire che i ladri:
☐ a. non hanno avuto paura di Ivana
☐ b. non hanno provato vergogna
☐ c. non avevano una bella faccia

3   **Anna incontra Ivana. Completate il dialogo con:** era, doveva, quella, mi, faceva, scendevano, è, avevano.

Anna:	Ciao, Ivana, come stai? Luca mi ha raccontato quello che ti è successo l'altro giorno! È vero che...
Ivana:	...che .... sono entrati i ladri in casa? Sì, Anna, sono disperata! Tutto hanno portato via, tutto... anche i tappeti!
Anna:	Dio mio, Ivana, ma è vero che li hai visti?
Ivana:	Sì! Quando all'inizio ho visto che .... col mio televisore ho detto: "Toh, questo televisore .... proprio come il mio!" e loro mi hanno risposto che ormai ce l' .... in molti, quel modello... che faccia tosta!
Anna:	Eh sì, infatti!
Ivana:	La cosa che mi fa più rabbia è che li ho pure aiutati! Abbiamo anche parlato un po'!
Anna:	...Del tempo, mi ha detto Luca.
Ivana:	Incredibile, no? Io ho fatto notare che .... molto caldo e sicuramente non .... essere facile lavorare con .... umidità.
Anna:	E loro ti hanno risposto?
Ivana:	Sì, e sembravano anche simpatici! Pensa che uno di loro, pure un bel ragazzo, mi ha detto che lui al caldo ci .... abituato e, alla fine, mi ha ringraziato gentilmente prima di uscire!
Anna:	Insomma, un ladro gentiluomo!

 4   **Raccontate in breve (50-60 parole) quello che è successo a Ivana.**

5 **Osservate queste frasi tratte dai dialoghi. Che cosa notate?**

Ivana dice:

"...questo televisore è proprio come il mio!"

"Non deve essere facile lavorare..."

Ivana ha detto che...

⇨ ...quel televisore era proprio come il suo...

⇨ ...non doveva essere facile lavorare...

6 **Completate la tabella.**

Discorso diretto e indiretto (I)

DISCORSO DIRETTO	DISCORSO INDIRETTO
PRESENTE ⇨ Maria ha detto: "Non *sto* tanto bene".	**IMPERFETTO*** Maria ha detto che non *stava* tanto bene.
IMPERFETTO ⇨ Disse: "Da giovane *viaggiavo* spesso".	**IMPERFETTO** Disse che da giovane *viaggiava* spesso.
PASSATO PROSSIMO ⇨ Disse: "*Ho lavorato* per 40 anni".	**TRAPASSATO PROSSIMO*** Disse che .... per 40 anni.
TRAPASSATO PROSSIMO ⇨ Mi ha detto: "*Ero entrato* prima di te".	**TRAPASSATO PROSSIMO** Mi ha detto che *era entrato* prima di me.
FUTURO (o **PRESENTE** come futuro) ⇨ Ha detto: "*Andrò* via".	**CONDIZIONALE COMPOSTO*** Ha detto che *sarebbe andato* via.
CONDIZIONALE SEMPLICE O COMPOSTO ⇨ Ha detto: "*Mangerei* un gelato". Ha detto: "*Sarei uscito*, ma piove".	**CONDIZIONALE COMPOSTO** Ha detto che ....* un gelato. Ha detto che *sarebbe uscito*, ma pioveva.

Come vedete, nel passaggio dal discorso diretto a quello indiretto, se il verbo introduttivo è al passato ci sono una serie di cambiamenti da fare (vedere anche l'Appendice a pagina 191).

*Il cambio di tempo verbale non è necessario se gli effetti dell'azione permangono ancora nel presente. Per esempio:

PRESENTE ⇨
Mara ha detto (poco fa): "Non *sto* bene".

PRESENTE
Mara ha detto che non *sta* bene.
(Mara ancora non sta bene nel momento in cui riferiamo le sue parole)

7 **Trasformate oralmente le frasi al discorso indiretto.**

1. "Mio padre è andato in pensione." Enrica ha detto che...
2. "Probabilmente venderò la mia macchina." Amedeo disse che...
3. "Quando ero piccola andavo spesso al mare." Amelia mi ha raccontato che...
4. "Non avete studiato abbastanza." Il professore ha detto che...
5. "Passeremmo volentieri le nostre vacanze a Capri." I signori Bassani dissero che...

 I - 5

B   Io no...

1   Leggete e commentate la canzone *Io no* di Jovanotti, un artista amatissimo dai giovani, nella quale comunica in un linguaggio moderno alcuni messaggi importanti.

Jovanotti

C'è qualcuno che fa di tutto
per renderti la vita impossibile.
C'è qualcuno che fa di tutto
per rendere questo mondo invivibile.
Io no... Io no...
C'è qualcuno che dentro a uno stadio
si sta ammazzando per un dialetto.
E c'è qualcuno che da quarant'anni
continua a dire che tutto è perfetto.
C'è qualcuno che va alla messa
e si fa anche la comunione,
e poi se vede un marocchino per strada
vorrebbe dargliele con un bastone.
Ma a questo punto hanno trovato un muro
un muro duro, molto molto duro.
Siamo noi, siamo noi...
E c'è qualcuno che in una pillola
cerca quello che non riesce a trovare,
allora pensa di poter comprare

ciò che la vita gli può regalare.
Ci sono bimbi che non han futuro
perché da noi non c'è posto per loro.
Ci sono bimbi che non nasceranno
perché gli uomini si sono arresi.
Ma a questo punto hanno trovato un muro
un muro duro, molto molto duro.
Siamo noi, siamo noi...
Vorrei vedere i fratelli africani
aver rispetto per quelli italiani.
Vorrei vedere i fratelli italiani
aver rispetto per quelli africani,
per quelli americani,
per quelli africani.
E quelli americani per quelli italiani.
Quelli milanesi per quelli
palermitani, napoletani.
Roma, Palermo, Napoli, Torino.
Siamo noi, siamo noi...

2   In coppia, lavorate sulla canzone.

1. Di quali problemi/aspetti sociali parla Jovanotti e in quali versi in particolare?
   ☐ droga, ☐ razzismo, ☐ violenza, ☐ ecologia, ☐ politica, ☐ povertà, ☐ aborto,
   ☐ criminalità, ☐ divario tra le generazioni, ☐ divario tra Nord e Sud, ☐ disoccupazione.
2. Scegliete i versi che vi piacciono di più e spiegatene il perché.

3   Ascoltate i mini dialoghi e abbinateli alle immagini.

4 Quante espressioni che esprimono indifferenza riuscite a ricordare dopo l'ascolto? Scrivetele sotto. Dopo ascoltate di nuovo per verificare le vostre risposte.

Esprimere indifferenza

Non mi interessa affatto!

....

....

....

....

Me ne infischio!

5 Sei *A*: informi *B* a proposito di...

un film giapponese che si
dà in un cinema vicino

un concerto che Jovanotti
terrà nella vostra città

una gita al mare a cui
siete stati invitati

un salone di auto
che apre domani

un'importante vittoria
della Roma

una presentazione
di un romanzo

Sei *B*: rispondi ad *A* usando anche le espressioni del punto precedente.

6 Nel passaggio dal discorso diretto a quello indiretto cambiano anche gli indicatori di spazio e di tempo. In coppia, completate le frasi con *quel giorno, dopo, quelle, il giorno precedente*.

Discorso diretto e indiretto (II)

DISCORSO DIRETTO	DISCORSO INDIRETTO
"*Queste* scarpe sono mie."	Ha detto che .... scarpe erano sue.
"*Ora* non possiamo fare niente."	Disse che *allora* non potevano fare niente.
"*Oggi* i miei non lavorano."	Ha detto che .... i suoi non lavoravano.
"Partirò *domani*."	Ha detto che sarebbe partito *il giorno dopo*.
"L'ho visto *ieri*."	Ha detto che l'aveva visto ....
"Tornerò *fra* tre giorni."	Ha detto che sarebbe tornato tre giorni ....
"Li ho visti due ore *fa*."	Ha detto che li aveva visti due ore *prima*.

Nota: Il cambiamento di questi indicatori non è sempre obbligatorio:

Carlo dice (oggi): "Verrò *domani*".   Carlo ha detto (oggi) che verrà *domani*.

Ulteriori informazioni in Appendice a pagina 192.

7 Trasformate le frasi dal discorso indiretto a quello diretto.

1. Disse che lì dentro non c'era niente.
2. Ha detto che quella sera avrebbe guardato la tv.
3. Ha promesso che il giorno dopo avrebbe finito tutto.
4. Ha detto che solo allora capiva.
5. Mi ha detto che l'aveva incontrato due giorni prima.

➡ 6 - 8

C In una pillola...

1 In *Io no* abbiamo trovato il verso "c'è qualcuno che in una pillola cerca quello che non riesce a trovare". Secondo voi, come e per quali motivi un giovane inizia a fare uso di droghe, leggere o pesanti?

2 Questo grafico descrive il problema della droga in Italia. In coppia, inserite i numeri dati in basso. (La soluzione è in fondo alla pagina). C'è qualche dato statistico che vi colpisce?

500.000

IL NUMERO DI
TOSSICODIPENDENTI
IN ITALIA

....

TOSSICODIPENDENTI
IN CURA PRESSO I
562
SERVIZI PUBBLICI

28.000

TOSSICODIPENDENTI
IN CURA PRESSO LE
1.400 COMUNITÀ
DI ACCOGLIENZA
LAICHE E RELIGIOSE

....

CONSUMATORI
DI DROGHE
LEGGERE

.... anni

ETÀ MEDIA DEI
TOSSICODIPENDENTI

30, 300.000, 3.500.000

3 Osservate questa pubblicità. Secondo voi, di che cosa si tratta e che scopo ha?

4 Per vedere se le vostre ipotesi erano giuste, girate pagina e leggete l'intero testo.

Soluzione dell'attività 2
in ordine: 300.000, 3.500.000, 30

5 Lavorate in coppia. Cercate nel testo parole o frasi che hanno un significato simile a:

stanchezza, sforzo:

....

ci puoi riuscire:

....

non perdere tempo:

....

risolvere il problema:

....

criminalità organizzata:

....

spaccio (commercio) di droga:

....

per sempre, definitivamente:

....

USCIRE DALLA DROGA SE VUOI INSIEME POSSIAMO

Non sarà facile. Ti costerà fatica, ma ce la puoi fare. Altri prima di te ci sono riusciti. Grazie alla loro volontà, grazie all'affetto di chi gli è stato vicino, grazie alle strutture a disposizione di chi vuole liberarsi dalla droga. Non rimandare neanche di un minuto. Ogni giorno che passa diminuiscono le possibilità di trovare una via d'uscita. Ogni giorno che passa il tuo corpo e la tua mente diventano sempre più deboli e la malavita che controlla il traffico di stupefacenti sempre più ricca. Trova il coraggio di chiedere aiuto, trova la forza di dire una volta per tutte: CON ME HAI CHIUSO.

Presidenza del Consiglio dei Ministri

D Paure...

1 Secondo voi, di che cosa hanno più paura gli italiani? Ascoltate una prima volta questo servizio radiofonico e sottolineate le parole veramente pronunciate.

arresti   immigrazione   prigione   delinquenti   rapina   spacciatori   accusato

tossicodipendenti   criminalità   giudice   minaccia   pena   carabinieri   furto

2 Ascoltate di nuovo e indicate le affermazioni veramente presenti.

1. Agli italiani fanno più paura le minacce "vicine". ■
2. Il CENSIS ha condotto molte ricerche su questo argomento. ■
3. In Italia ci sono moltissimi zingari. ■
4. Gli italiani non hanno paura della microcriminalità. ■
5. I tossicodipendenti non sono i criminali più temuti. ■
6. C'è anche chi ha paura degli immigrati. ■
7. La microcriminalità è un fenomeno degli ultimi anni. ■
8. La mafia è considerata un pericolo lontano, non quotidiano. ■
9. I piccoli reati creano negli italiani un senso di insicurezza. ■
10. Ci sono molti più furti al Sud. ■

3   Qual è la punizione peggiore per un ladro? Forse non quella che pensate. Completate questa notizia di cronaca con: carabinieri, accusato, giudice, prigione, pena, arresti.

20 **Cronache**   LA STAMPA   MARTEDÌ 24 APRILE

Evade dagli arresti domiciliari:
"Non sopporto più i miei suoceri!"

MESSINA - Quando la convivenza coi suoceri diventa una (1)................. più dura di quella vera: almeno è stato così per un 29enne di Messina, Alessandro Boldi, "evaso" da casa dei genitori di sua moglie, dove era agli arresti domiciliari per tentato furto, perché non ne poteva più della convivenza con loro. Che fare, si è chiesto? "Meglio in carcere che continuare a stare coi miei suoceri", si è risposto il giovane ed è andato dritto alla caserma dei carabinieri. "Maresciallo, mi (2)........................ . Non ne posso più di loro", ha pregato. E i militari, infatti, lo hanno arrestato per evasione.

La storia è iniziata quando Boldi, (3)......... .... di tentato furto, aveva ottenuto di poter scontare la sua (4)........................ in casa. Quando il giudice gli ha chiesto dove volesse abitare, l'uomo aveva indicato come domicilio proprio quello dei suoceri. Una scelta di cui Boldi si è pre-

sto pentito: disperato dalle continue liti, non aveva altra scelta che evadere. Poi, è andato direttamente alla stazione dei (5)........................, ai quali ha chiesto di metterlo in galera.

Ma non è mica così semplice evitare i suoceri: il (6)........................ lo ha sì condannato per l'evasione, ma non lo ha mandato in carcere come Boldi sperava: lo ha rispedito nuovamente agli arresti domiciliari...

da La Stampa

4   **Nel testo precedente abbiamo letto** "ai quali ha chiesto di metterlo in galera" **e** "il giudice gli ha chiesto dove volesse abitare". **In coppia, scegliete le forme giuste nella colonna a destra.**

Discorso diretto e indiretto (III)	
DISCORSO DIRETTO	DISCORSO INDIRETTO
"*Parla* più piano!"	Mi ha detto *di parlare/che parlavo* più piano.
"*Vengono* spesso a farmi visita."	Disse che *vanno/andavano* spesso a farle visita.
Le chiese: "*Hai visto* Marco?"	Le chiese se *avesse visto/abbia visto* Marco.
Mi ha chiesto: "A che ora *tornerai*?"	Mi ha chiesto a che ora *sarei tornato/tornerò*.

Le risposte in Appendice a pagina 192.

 9 e 10

E   Anche noi eravamo così.

1   Osservate queste due foto. Secondo voi, è stato più difficile rifarsi una vita per gli italiani che emigrarono all'estero un secolo fa o per chi emigra oggi, in Italia o in altri paesi?

primo '900   *oggi*

2   Leggete il testo, scritto da un famoso giornalista italiano.

"Vu' cumprà"

È brutto chiamare gli stranieri "vu' cumprà" o è anche un po' affettuoso? Sono troppi, non sappiamo come sistemarli, ma non sarebbe meglio se tentassimo di conciliare una regola giusta con un comportamento più corretto? Proprio noi, che mandavamo in giro i nostri compatrioti con il passaporto rosso, ammucchiati sui piroscafi che li portavano, in ogni senso, in "terre assai luntane"?

Quante offese avevano sopportato i piccoli siciliani e i piccoli napoletani, sbarcati con la valigia di fibra e il bottiglione dell'olio a Ellis Island. Li chiamavano "testa di brillantina", per quei capelli lucidi e divisi dalla riga come li portava Rodolfo Valentino nel *Figlio dello sceicco*; "dago", che vuol dire uno che viene dall'Italia; o "maccaroni", che non ha bisogno di spiegazioni. Molti non sapevano né leggere né scrivere, molti di loro ancora adesso dicono "giobbo" per lavoro.

Pensavo a queste storie seguendo le cronache del parlamento e anche della malavita: e mentre davo il solito obolo al solito giovanotto dalla pelle scura che ti offre l'accendino. Tra loro ci saranno pure dei delinquenti, ma circolano lavavetri che hanno una laurea in ingegneria, o cameriere che possiedono un diploma. Certo, è una massa di disperati, che tentano di sopravvivere: so, quasi sempre, da dove vengono, quali tragedie lasciano alle spalle. Buttarli fuori è una crudeltà, ma lo è anche lasciarli andare alla ventura, quando c'è una mezza Italia che è una grande Harlem, o la periferia di Washington con tante antenne tv, e centinaia di migliaia di "vu' cumprà" bianchi, che sono nostri fratelli...

adattato da I come italiani di Enzo Biagi

3 Lavorate in piccoli gruppi e svolgete uno dei seguenti compiti:

a. un gruppo seleziona 6 parole chiave del testo;

b. un gruppo riassume il testo in una frase;

c. un altro gruppo riassume il testo in un breve paragrafo;

d. un altro ancora esprime in 10-15 parole le sue reazioni e i suoi commenti su quello che ha letto.

Alla fine, confrontate il risultato del vostro lavoro con quello degli altri gruppi.

Osservate:

emigrare - emigrato ⇨ **estero**
immigrare - immigrato ⇨ **interno**

4 **Rispondete alle domande.**

1. Anche il vostro è un paese multietnico come l'Italia odierna? Ci sono differenze sociali che dipendono dalla nazionalità?
2. Nel passato, milioni di italiani emigrarono all'estero. Anche nel vostro paese si è verificato lo stesso fenomeno? Parlatene.
3. Ci sono milioni di italiani sparsi per il mondo. Da voi è presente una comunità italiana? Cosa ne sapete?

5 **All'inizio del testo della pagina precedente abbiamo letto "…se tentassimo di conciliare una regola giusta…". Come si trasformerebbe questa frase al discorso indiretto? Osservate:**

Il periodo ipotetico nel discorso indiretto	
DISCORSO DIRETTO	DISCORSO INDIRETTO
"Se *avessi* tempo, *viaggerei*."	⇨ Diceva che se *avesse* tempo, *viaggerebbe*. Diceva che se *avesse avuto* tempo, *avrebbe viaggiato*.
"Se *vinceremo*, *saremo* campioni."	⇨ L'allenatore ha detto che se *vinceranno*, *saranno* campioni.
Napoleone: "Se *vincerò*, *diventerò* imperatore".	⇨ Napoleone disse che se *avesse vinto*, *sarebbe diventato* imperatore.

Anche in questo caso, se il verbo introduttivo fa riferimento
al presente i tempi non cambiano.

Ulteriori spiegazioni in Appendice alle pagine 192 e 193.

F Vorrei che tu fossi una donna...

1 Leggete la frase del titolo. Secondo voi, chi potrebbe averla pronunciata?

2 Un altro problema dell'Italia moderna è il calo delle nascite: gli italiani fanno sempre meno figli rispetto ad altri popoli e sicuramente rispetto al passato. Perché, secondo voi?

3 Vediamo ora cosa dice una donna incinta al bambino che aspetta.

Vorrei che tu fossi una donna. Vorrei che tu provassi un giorno ciò che provo io: non sono affatto d'accordo con mia madre la quale pensa che nascere donna sia una disgrazia. Lo so: il nostro è un mondo fabbricato dagli uomini per gli uomini, la loro dittatura è così antica che si estende perfino al linguaggio. Si dice uomo per dire uomo e donna, si dice bambino per dire bambino e bambina, si dice omicidio per indicare l'assassinio di un uomo e di una donna. [...] Eppure, o proprio per questo, essere donna è così affascinante. È un'avventura che richiede un tale coraggio, una sfida che non annoia mai. [...] Dovrai batterti continuamente. E spesso, quasi sempre, perderai. Ma non dovrai scoraggiarti. Battersi è molto più bello che vincere, viaggiare è molto più bello che arrivare: quando sei arrivato o hai vinto, avverti un gran vuoto. E per superare quel vuoto devi metterti in viaggio di nuovo, crearti nuovi scopi.

Ma se nascerai uomo io sarò contenta lo stesso. E forse di più perché ti saranno risparmiate tante umiliazioni, tanti abusi. Se nascerai uomo, ad esempio, non dovrai temere d'essere violentato nel buio di una strada. Non dovrai servirti di un bel viso per essere accettato al primo sguardo, di un bel corpo per nascondere la tua intelligenza. Non subirai giudizi malvagi quando dormirai con chi ti piace. Naturalmente ti toccheranno altre schiavitù, altre ingiustizie: neanche per un uomo la vita è facile, sai. Poiché avrai i muscoli più saldi, ti chiederanno di portare fardelli più pesanti. Poiché avrai la barba, rideranno se tu piangi e perfino se hai bisogno di tenerezza. Ti ordineranno di uccidere o essere ucciso alla guerra. Eppure, o proprio per questo, essere un uomo sarà un'avventura altrettanto meravigliosa. Se nascerai uomo, spero che sarai un uomo come io l'ho sempre sognato: dolce coi deboli, feroce coi prepotenti, generoso con chi ti vuole bene.

ridotto da Lettera ad un bambino mai nato di Oriana Fallaci

4 Senza preoccuparvi delle parole sconosciute, indicate a quale paragrafo corrisponde ogni affermazione.

	1°	2°
1. Per le donne la vita è difficile da sempre.	■	■
2. Una bella presenza è sempre un vantaggio.	■	■
3. A volte la lingua è poco democratica.	■	■
4. Il risultato non è quel che conta di più.	■	■
5. La vita non è facile neanche per gli uomini.	■	■
6. Bisogna sempre guardare avanti.	■	■
7. Avrai più libertà.	■	■
8. Sono le difficoltà a rendere la vita interessante.	■	■

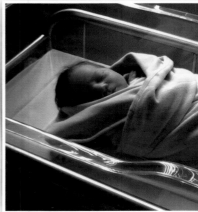

5   Rispondete.

1. "...*viaggiare è molto più bello che arrivare*". Siete d'accordo?
2. "*Poiché avrai la barba, rideranno se tu piangi...*". Secondo voi, gli uomini non hanno il diritto di piangere? Cosa ne pensano le donne?
3. Oriana Fallaci scrisse questo libro negli anni '70. Cos'è cambiato da allora per la donna? Qual è la sua posizione sociale oggi? Esiste vera parità dei sessi?
4. Secondo voi, è più difficile essere donne o uomini? Scambiatevi idee.

G   Vocabolario e abilità

1   Vocabolario. Scrivete i sostantivi che derivano dai verbi e viceversa.

arrestare		convivenza ....
minacciare		evasione ....
aiutare		assassinio ....
rubare		droga ....

2   Ascolto   Quaderno degli esercizi

3   Situazione

Una tua cugina (*A*) ti confida che da tempo esce con un ragazzo che in passato ha avuto problemi con la giustizia. Ormai dopo tre anni i due ragazzi pensano di sposarsi, però, c'è un piccolo problema: lei non sa come annunciarlo a suo padre che è un tipo tradizionalista. Tu (*B*) cerchi di sapere di più su questa relazione e proponi qualche idea per rendere l'annuncio e l'incontro tra i due uomini il più facile possibile.

4   Scriviamo

1. Raccontate una notizia di cronaca, vera o immaginaria, possibilmente originale e curiosa. *(120-140 parole)*

2. Siamo quasi alla fine di questo libro. Che cosa vi è piaciuto di più e cosa di meno, qual è stata l'unità più interessante? Scrivete una breve e-mail agli autori (redazione@edilingua.it) per esporre brevemente *(60-80 parole)* le vostre impressioni e proporre qualche idea!

 Test finale

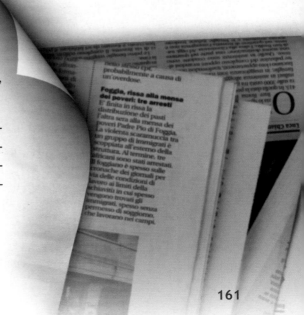

Aspetti e problemi dell'Italia moderna

L'Italia è sicuramente uno dei paesi più belli del mondo. Tant'è vero che gli italiani stessi lo chiamano "Belpaese". Per quanto questa penisola sia unica, però, non è perfetta: vediamo in breve alcuni dei suoi problemi.

Una delle tante agenzie per il lavoro temporaneo in Italia

Uno dei grandi problemi dell'Italia di oggi è la "**sottoccupazione**", cioè il lavoro precario*, saltuario* e il lavoro nero*. I giovani alla ricerca di un lavoro, infatti, sono spesso costretti a lavorare senza contratto o con contratti a tempo determinato. Questo tipo di situazione preclude* ai giovani la possibilità di formarsi una famiglia, avere dei figli, avere in definitiva una vita "normale" come i loro genitori.

Un altro aspetto negativo dell'Italia è il grande **divario*** tra Nord e Sud. Altissimo livello di disoccupazione e basso grado di sviluppo economico del Sud sono purtroppo realtà che hanno una lunga storia e varie cause.

Uno dei problemi più gravi e profondi del Sud, ma che coinvolge l'intero Paese, è la **criminalità organizzata**, di cui la Mafia siciliana, o *Cosa Nostra*, è l'espressione più eclatante* e nota, grazie anche a numerosi film celebri. *Cosa Nostra* affonda le sue radici nell'Ottocento e controlla ancora oggi gran parte dell'attività economica dell'isola, come pure il traffico di droga e di armi, contando spesso sul sostegno di politici e giudici corrotti*. Chi cerca di combatterla sa di rischiare la vita e la lista delle vittime della Mafia è tristemente lunga. La vera forza della mafia è quindi l'*omertà*, la legge, cioè, del silenzio e della paura. Negli ultimi anni, lo Stato ha arrestato molti "boss" mafiosi, grazie alle testimonianze di uomini della malavita "pentiti". La mafia ha varie forme di organizzazione e, a seconda delle zone in cui si è radicata, nomi differenti: in Campania si chiama *camorra*, in Calabria *'ndrangheta*, mentre in Puglia si parla di *Sacra Corona Unita*.

Un "pentito" durante un processo di Mafia

Nonostante i non pochi problemi, l'immagine dell'Italia come "paese delle meraviglie" è ancora molto forte all'estero e ogni anno sono migliaia gli **immigrati** clandestini* che cercano di sbarcare sulle coste italiane in cerca di una vita migliore, che spesso però non trovano. Infatti, sono diventate sempre più rigorose le leggi che cercano di fermare l'immigrazione clandestina; allo stesso tempo, lo Stato italiano e le varie istituzioni fanno il possibile per aiutare gli immigrati regolari a integrarsi* (corsi d'italiano, assistenza sanitaria e così via).

Un altro preoccupante problema dell'Italia di oggi e... di domani è sicuramente il **calo delle nascite**. Il Belpaese ha, infatti, la più bassa percentuale di bambini per coppia in Europa: appena 1,20! Se da una parte nascono pochi bambini, dall'altra, vivendo più a lungo che in passato, gli italiani stanno diventando una nazione di anziani. Il crescente numero dei pensionati supera già quello dei giovani sotto i 25 anni e le previsioni per il futuro sono tutt'altro che ottimistiche. Negli ultimi anni la tendenza si è leggermente invertita, proprio grazie agli stranieri.

1. "Sottoccupazione" significa

☐ a. avere un salario molto basso
☐ b. mancanza di lavoro
☐ c. fare un lavoro precario
☐ d. lavorare per ditte poco importanti

2. *Cosa Nostra*

☐ a. non esiste più dagli anni Novanta
☐ b. ha spesso potenti alleati
☐ c. ha circa trecento anni di vita
☐ d. controlla l'economia italiana

EUROPEI SEMPRE MENO
Proiezione della popolazione dell'Unione Europea dal al 2050 (in milioni)

	OGGI	2020	2050
Unione Europea	371,6	363,8	303,5
Austria	8,0	7,9	6,6
Belgio	10,1	9,9	8,4
Danimarca	5,2	5,1	4,3
Finlandia	5,1	5,0	4,2
Francia	58,0	59,3	52,3
Germania	81,5	79,1	63,4
Gran Bretagna	58,5	58,0	50,5
Grecia	10,4	10,4	9,1
Irlanda	3,6	3,7	3,1
Italia	57,3	52,8	40,5
Lussemburgo	0,4	0,4	0,4
Paesi Bassi	15,4	15,4	13,7
Portogallo	9,9	9,9	8,6
Spagna	39,2	39,2	30,5
Svezia	8,8	8,8	8,0

3. Lo Stato è riuscito a colpire la mafia grazie

☐ a. alla collaborazione di alcuni ex mafiosi
☐ b. all'omertà diffusa nelle zone del Sud
☐ c. ai giudici corrotti
☐ d. ad alcuni famosi film americani

4. L'immigrazione clandestina in Italia

☐ a. ha una lunga storia alle spalle
☐ b. è scoraggiata dallo Stato
☐ c. è costituita soprattutto da asiatici
☐ d. ha portato problemi di ordine pubblico

5. In Italia

☐ a. il tasso delle nascite è nella media europea
☐ b. presto ci saranno troppi pensionati
☐ c. ci sarà un aumento della popolazione
☐ d. i giovani saranno più degli anziani

Una foto "storica" e drammatica degli anni Novanta, quando arrivavano ogni giorno in Italia navi cariche di profughi.

Glossario: <u>precario</u>: temporaneo, provvisorio, incerto, senza garanzie per il futuro; <u>saltuario</u>: che non è continuo nel tempo; <u>nero</u>: detto di lavoro o attività illegale; <u>precludere</u>: impedire, ostacolare; <u>divario</u>: differenza; <u>eclatante</u>: clamoroso, che si manifesta con grande evidenza; <u>corrotto</u>: non onesto; <u>clandestino</u>: chi risiede illegalmente in un Paese; <u>integrarsi</u>: inserirsi in un ambiente sociale, politico, culturale nuovo.

Attività online

Autovalutazione
Che cosa ricordate delle unità 9 e 10?

1. Sapete...? Fate l'abbinamento.

1. esprimere indifferenza
2. chiedere conferma
3. confermare qualcosa
4. esprimere un parere soggettivo
5. esprimere simpatia per qualcuno

a. Ma veramente è successo così?
b. Poverino, non l'ha fatto apposta.
c. Francamente, me ne infischio!
d. Non scherzo, ha detto così!
e. A quanto ne so è onesto.

2. Abbinate le frasi.

1. Ieri mi ha telefonato Franca!
2. Lo vedi così elegante, ma è un maleducato.
3. Ha sposato il medico che l'aveva in cura.
4. E come si è giustificato?
5. È vero che gli affari vanno male?

a. Ha inventato una storia, come al solito.
b. Sì, andiamo di male in peggio.
c. E a me, che me ne importa?
d. Eh, non tutto il male vien per nuocere.
e. Si sa, l'abito non fa il monaco!

3. Completate o rispondete.

1. Quale parte dell'Italia ha avuto uno sviluppo più lento? ....
2. Come si chiama la criminalità organizzata della Campania? ....
3. Famosa Galleria di Firenze: ....
4. Nel discorso indiretto "domani" diventa: ....

4. Completate le frasi con le parole mancanti.

1. Sono più severe le pene per gli s...
di droga che per i t.............................. .

2. È finito in c.............................. perché il
g.............................. non ha creduto alla sua storia.

3. Con l'arrivo di i.............................. provenienti
da varie parti del mondo, l'Italia è diventata
un paese veramente mu.............................. .

4. L'arresto del famoso b.............................. è stato
un duro colpo per la c..............................
organizzata calabrese.

5. Al *Metropolitan Museum* sono state esposte
o.............................. dei maggiori
a.............................. italiani del Rinascimento.

Verificate le vostre risposte a pagina
203. Siete soddisfatti?

I trulli di Alberobello (Puglia)

Che bello leggere!

Per cominciare...

 1 Lavorate in coppia. Secondo voi, a quale genere letterario appartiene ciascun libro?

☐ romanzo storico

☐ favola

☐ giallo

☐ romanzo d'amore

☐ teatro

☐ saggio

2 Vi piace leggere? Che genere preferite? Come scegliete un libro?

 3 Ascoltate una volta il dialogo e indicate le affermazioni corrette.

1. Il cliente
☐ a. cerca un libro in particolare
☐ b. vuole comprare tre libri
☐ c. chiede consiglio alla commessa
☐ d. conosce bene la commessa

2. All'inizio la commessa
☐ a. chiede al cliente un consiglio
☐ b. gli consiglia un libro che le piace
☐ c. gli fa una domanda personale
☐ d. gli chiede la data di nascita

3. La commessa cerca di indovinare
☐ a. l'autore preferito dal cliente
☐ b. il genere di libri che preferisce
☐ c. il suo lavoro
☐ d. il suo segno zodiacale

4. Alla fine il cliente
☐ a. consiglia alla commessa di leggere di più
☐ b. la ringrazia dei suoi consigli
☐ c. le chiede di che segno è
☐ d. chiede un libro sull'astrologia

In questa unità...

*1. ...impariamo a chiedere e dare consigli sull'acquisto di un libro, a parlare dell'oroscopo e
a parlare di libri e testi letterari;*

*2. ...conosciamo il gerundio semplice e composto, l'infinito presente e passato, il participio
presente e passato e le parole alterate;*

3. ...troviamo informazioni sulla storia della letteratura italiana.

A È Gemelli per caso?

1 Le battute della commessa sono in ordine, ma quelle del cliente no! In coppia, ricostruite il dialogo. In seguito ascoltatelo per confermare le vostre risposte.

1	*cliente:*	Scusi, mi potrebbe aiutare? Sono un po' confuso.
	cliente:	In che senso?!
	cliente:	Sì, è vero, sono indeciso tra questi libri. Li comprerei tutti e tre perché leggere mi piace molto. Avendo più tempo libero, forse...
	cliente:	Dice? A pensarci bene, forse è meglio qualcosa di diverso... magari un romanzo d'amore.
	cliente:	Dio mio, cosa intende?!
	cliente:	Ma che Ariete, signorina! Piuttosto, saprebbe dirmi qualcosa su questo libro di Andrea Camilleri?
	cliente:	Ah! ... Senta, mi permette di darle un consiglio? ... Se leggesse qualche libro, oltre all'Oroscopo, credo che non guasterebbe...
	cliente:	Ah, no, no... E di questo di Beppe Severgnini cosa ne pensa?
	cliente:	Veramente ho un sorella che... ma che c'entra questo?
	cliente:	Ho capito. Allora prenderò questo di Niccolò Ammaniti. Ne ho sentito parlare bene.

commessa: Certo, signore... Ma, è Gemelli per caso?

commessa: Niente, ho notato che ha cambiato più volte idea.

commessa: Mica è Ariete? Gli Arieti, lavorando molto, hanno poco tempo per altro.

commessa: Ad essere sincera, a me i libri gialli non piacciono, a volte, li trovo un pochino violenti...

commessa: Mmm... Cancro?

commessa: Voglio dire, è nato sotto il segno del Cancro? Sono molto romantici.

commessa: Mah... non avendolo letto... non saprei. Severgnini vende molto bene. Però a me i suoi libri sembrano tutti uguali...

commessa: Allora scommetto che è Vergine!

commessa: Mi riferisco al segno ovviamente: quelli della Vergine si fidano molto dei gusti altrui.

2 Lavorate a coppie. Cercate, a vostra scelta, tra le battute del cliente o della commessa, le espressioni che significano:

cliente

che relazione ha? ....

cosa intende dire? ....

sarebbe utile, farebbe bene ....

commessa

per caso ....

a dire la verità ....

sono sicura ....

3 Enrico, il cliente della libreria, parla ora con una sua amica, Carmen: completate il dialogo con le parole date.

Carmen: Perché sorridi? È divertente il libro?

Enrico: Veramente sto pensando alla commessa della libreria.

Carmen: Cosa aveva di tanto divertente?

Enrico: Niente, una volta .... 2-3 libri, non .... quale prendere, ho chiesto il suo aiuto.

Carmen: Lo so, per te .... è sempre stato un problema.

Enrico: Comunque, lei ha cominciato a chiedermi se ero dei Gemelli, del Cancro, della Vergine...

Carmen: Che tipo! Ma poi ti ha aiutato a scegliere?

Enrico: ....? Figurati! Non .... altro che riviste di astrologia, non avrebbe potuto. Alla fine gliel'ho detto chiaro e tondo: "Sa, oltre all'oroscopo ci sono anche altri libri da leggere!".

Carmen: No!!! E lei?

Enrico: .... stupita, ha subito risposto: "Ma io sono dei Pesci. E si sa che i Pesci non leggono molto"! E io, a quel punto, non ho potuto resistere e le ho chiesto: "E se ci fossero libri impermeabili?!".

sapendo

scelti

aiutarmi

guardandomi

avendo
letto

decidere

4 Nel dialogo introduttivo abbiamo visto: *"Avendo* più tempo libero..." e *"lavorando* molto...". Non è difficile capire di quali verbi si tratta. Osservate:

Gerundio semplice

lavorare	leggere	uscire
lavor**ando**	legg**endo**	usc**endo**

Il gerundio semplice (o presente) è indeclinabile. Indica un'azione contemporanea a quella del verbo principale della frase con cui condivide quasi sempre il soggetto:
Uscendo, ho incontrato Gianna. (io) / *Solo studiando, supererai l'esame.* (tu)

Verbi irregolari al gerundio in Appendice a pagina 193

---

 5 Cosa esprime il gerundio? Lavorando in coppia, fate l'abbinamento. In Appendice a pagina 193 troverete la soluzione.

azioni simultanee	Mi guardava **sorridendo**.
modo (come?)	**Cercando**, potresti trovare una casa migliore.
causa (perché?)	**Essendo** stanco, ho preferito non uscire.
un'ipotesi (se...)	Camminava **parlando** al cellulare.

6 Nelle pagine precedenti abbiamo anche visto "non *avendolo letto*...". Osservate e completate le frasi con i gerundi dati alla rinfusa.

Gerundio composto

avendo bevuto
essendo andato/a/i/e

Il gerundio composto (o passato) esprime un'azione avvenuta prima di un'altra:
Avendo letto il libro, posso dire che non mi è piaciuto.
Essendo arrivati in ritardo, non sono potuti entrare.

Di più sul gerundio in Appendice a pagina 193.

---

1. .... a casa, ho incontrato Alfredo e Anna.   *Essendo*

2. .... una moglie bella, è molto geloso.   *Tornando*

3. .... tardi, sono stati rimproverati dal padre.   *Avendo studiato*

4. .... una persona in gamba, presto avrà una promozione.   *Avendo*

5. .... molto, sapeva tutte le risposte.   *Essendo tornati*

B   Di che segno sei?

1   Lavorate in coppia. Come si chiamano i segni zodiacali in italiano? Completateli consultando anche il testo del punto 2.

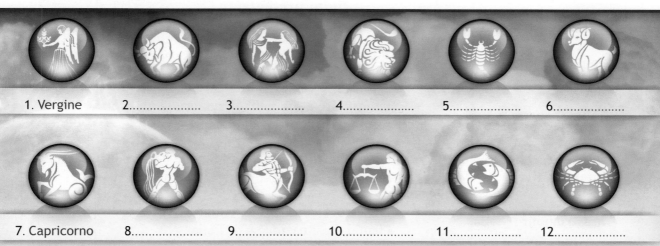

1. Vergine   2....................   3....................   4....................   5....................   6....................

7. Capricorno   8....................   9....................   10....................   11....................   12....................

2   Leggete il vostro segno zodiacale. Siete davvero così? Parlatene.

Ariete Le parole d'ordine per loro sono passionalità e coraggio. Grandi lavoratori, preferiscono dedicare all'amore pochi, ma intensi momenti.

Toro I nati sotto il segno del Toro amano molto gli amici e la semplicità. Pazienti e poco romantici, preferiscono storie lunghe e tranquille.

Gemelli Spiritosi e intelligenti. Particolarmente sensibili agli stati d'animo e ai pensieri di chi li circonda, giocano sulle frasi e le parole a doppio senso.

Cancro Sono i più romantici e sognatori dello zodiaco; cercano negli altri tenerezza e protezione. Hanno bisogno di emozioni e di parole dolci e sono molto fedeli.

Leone Amano esibire la loro bellezza, esteriore e interiore. Sono seducenti e hanno un'energia straordinaria. Ma si annoiano facilmente.

Vergine Le loro caratteristiche sono la puntualità, la precisione e l'altruismo. Non sempre trovano il coraggio di esprimere i loro sentimenti, perciò preferiscono scriverli.

Bilancia Non molto stabili, soprattutto in momenti di particolare stanchezza. In compenso, sono estroversi e creativi. Tolleranti, sanno evitare gli scontri con gli altri.

Scorpione Sono provocatori, ma anche molto ambiziosi e attratti dal potere. Spesso si lasciano catturare da relazioni difficili, ma sanno sempre riprendersi dalle difficoltà.

Sagittario Molto ottimisti, non perdono mai il loro buon umore. Si innamorano facilmente, ma si sposano tardi, a volte dopo lunghi fidanzamenti.

Capricorno Sono capaci di sopportare la fatica. Tipi molto concreti non sprecano tempo né energia. Di solito vivono a lungo e con gli anni sembrano ringiovanire.

Acquario Sono eccentrici, fantasiosi e attratti dalla libertà di pensiero: gli studi lunghi non sono per loro. Sanno stupire con sorprese e idee originali.

Pesci Essendo forse troppo romantici, per loro i sentimenti contano più della razionalità. Alcune volte si comportano in modo imprevedibile.

3   In genere, credete all'oroscopo? Quando e quanto può influenzarvi?

4 Nelle pagine precedenti abbiamo visto: "…*leggere* mi piace molto", "a *pensarci* bene…". Abbinate le frasi alle corrispondenti funzioni. In Appendice a pagina 193 troverete la soluzione.

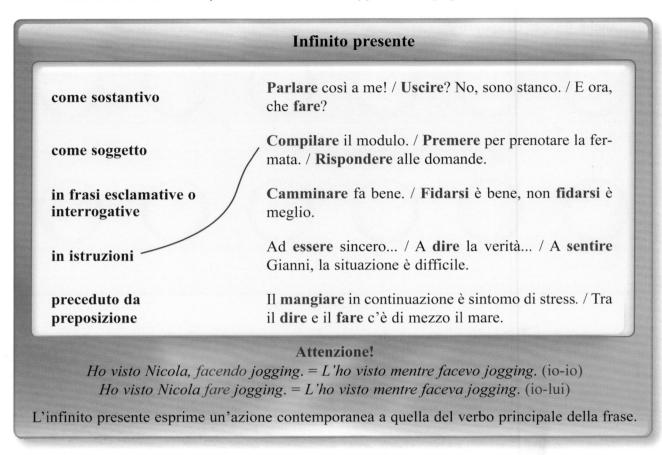

Infinito presente

come sostantivo	**Parlare** così a me! / **Uscire**? No, sono stanco. / E ora, che **fare**?
come soggetto	**Compilare** il modulo. / **Premere** per prenotare la fermata. / **Rispondere** alle domande.
in frasi esclamative o interrogative	**Camminare** fa bene. / **Fidarsi** è bene, non **fidarsi** è meglio.
in istruzioni	Ad **essere** sincero… / A **dire** la verità… / A **sentire** Gianni, la situazione è difficile.
preceduto da preposizione	Il **mangiare** in continuazione è sintomo di stress. / Tra il **dire** e il **fare** c'è di mezzo il mare.

Attenzione!

Ho visto Nicola, facendo jogging. = *L'ho visto mentre facevo jogging.* (io-io)
Ho visto Nicola fare jogging. = *L'ho visto mentre faceva jogging.* (io-lui)

L'infinito presente esprime un'azione contemporanea a quella del verbo principale della frase.

5 L'infinito, come abbiamo visto, può essere coniugato anche al passato. Osservate:

Infinito passato

È venuta dopo **essere passata** dai suoi genitori.
All'una dovevo **aver** già **consegnato** il libro.
Per non **essersi svegliato** in tempo, ha perso il treno.
Dopo **averlo conosciuto**, non penso che a lui.

L'infinito passato esprime un'azione avvenuta prima di un'altra.

6 Osservate le due schede e completate le frasi.

1. Dopo .... il lavoro, andremo a mangiare.
2. .... dolci?! Ma te l'ho detto che sto a dieta!
3. Ho sentito i miei genitori .... molto bene di te.
4. Per .... tardi, i miei mi hanno rimproverato.
5. Che cosa ....? Non ho parole…

 5 - 8

C Due scrittori importanti

1 Completate con: *corrente, finita, evidente, affascinante, esponenti, divertenti.* **Poi indicate a quale dei due testi corrisponde ogni affermazione.**

Alberto Moravia (1907-1990)

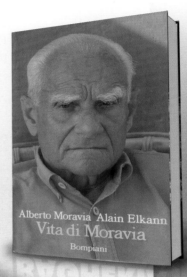

Nato a Roma, è stato uno dei massimi narratori italiani e tra i più noti e tradotti nel mondo. È diventato famoso a soli 22 anni con il suo primo romanzo, *Gli indifferenti*, forse il suo capolavoro. Il libro, ribaltando lo spirito di ottimismo propagandato dal fascismo, è una critica della borghesia italiana di quel periodo, annoiata e inutile.

Il suo stile severo, semplice e privo di eccessi ha fatto di Moravia uno dei maggiori ....(1) del neorealismo italiano. A questa ....(2) letteraria appartengono libri come *Agostino*, *La Romana* e *La Ciociara*, che il grande Vittorio De Sica trasformò in film con Sofia Loren. I *Racconti romani* e i *Nuovi racconti romani* sono strane e ....(3) storie della Roma del dopoguerra. Con libri come *La Noia* e *L'amore coniugale*, Moravia torna a criticare la classe borghese. Nelle sue ultime opere si orienta verso le tematiche della psicoanalisi. Molti dei suoi racconti sono diventati film di successo.

Italo Calvino (1923-1985)

Calvino è forse il più giocoso e ....(4) degli scrittori italiani del secondo '900. Nacque a Cuba, ma crebbe a Sanremo e durante l'occupazione tedesca si unì ai partigiani. ....(5) la guerra, pubblicò il suo primo romanzo, *Il sentiero dei nidi di ragno*, ispirato proprio a quell'esperienza. Negli anni '50, Calvino scrisse forse le sue opere più note: *Il visconte dimezzato*, *Il barone rampante* e *Il cavaliere inesistente*, pubblicati in seguito in un unico volume con il titolo *I nostri antenati*. Questi "romanzi fantastici", come li definiva Calvino, sono una parodia della letteratura cavalleresca e sono pieni di allusioni al mondo contemporaneo. Dei libri successivi, dove l'elemento fiabesco è ancora più ....(6), forse il più originale è *Le città invisibili* in cui, tra fantasia e realtà, Marco Polo descrive le città da lui visitate. Altre sue opere da ricordare sono *Se una notte d'inverno un viaggiatore*, *Marcovaldo*, la grande raccolta di *Fiabe italiane* e *Gli amori difficili*.

	Moravia	Calvino
1. Il suo talento è stato riconosciuto molto presto.		
2. Ha affrontato temi reali attraverso storie di fantasia.		
3. Pubblicò la sua prima opera durante il periodo fascista.		
4. Ha combattuto per la Liberazione d'Italia.		
5. Con il passare degli anni i suoi temi sono cambiati.		
6. Tra le sue opere c'è una famosa trilogia.		

2 Rispondete.

1. Che cosa hanno in comune i due scrittori? Che cosa li differenzia?
2. Chi dei due scrittori vi sembra più interessante? Quale dei titoli citati vi piacerebbe leggere e perché?

3 Nei due testi precedenti abbiamo incontrato parole come *corrente, affascinante, divertenti*: si tratta di participi presenti. Da quali verbi derivano? In coppia, osservate la tabella sulla formazione del participio presente e completate gli esempi.

Participio presente

parlare	sorridere	divertire
⇨ parl**ante/i**	⇨ sorrid**ente/i**	⇨ divert**ente/i**

aggettivo: *Il libro era veramente* .... / *È molto* ....
INTERESSARE / PESARE

sostantivo: *I miei* .... / *Una brava* ....
ASSISTERE / CANTARE

verbo: *Una squadra* .... *(che vince)*. / *Il pezzo* .... *(che manca)*.
VINCERE / MANCARE

In Appendice a pagina 193 troverete la soluzione.

---

4 Nel secondo testo della pagina precedente abbiamo letto anche "*Finita* la guerra, pubblicò il suo primo romanzo". Secondo voi, che cosa significa, che valore ha "finita"?

Participio passato

Il participio passato si usa nei tempi composti, nella forma passiva e anche come:

aggettivo: *Ho comprato una macchina usata. / Michele è un ragazzo molto distratto.*

sostantivo: *Andiamo a fare una passeggiata in centro.*

participio assoluto, quando esprime un'azione avvenuta prima di un'altra:

Arrivati i miei genitori, andrò a letto. (= dopo che saranno arrivati i miei genitori)
Una volta partito, non sono più tornato indietro. (= dopo essere partito / essendo partito)

---

5 Completate le frasi con il participio presente o passato dei verbi.

1. Devo comprare una nuova .... laser. *(stampare)*
2. Solo una volta .... di casa, ho notato che nevicava. *(uscire)*
3. Ho aperto un nuovo conto .... alla Banca di Roma. *(correre)*
4. .... l'aspirina, il mal di testa mi è finalmente passato. *(prendere)*
5. Essendomi perso, ho chiesto indicazioni ad un .... *(passare)*

D   Andiamo a teatro

1   Vi piace il teatro? In cosa si differenzia dal cinema?

2   Ascoltate il testo su due grandi autori del teatro italiano
e indicate le affermazioni corrette.

1. Le opere di Pirandello si basano sull'idea che:
   - a. la realtà sia falsa
   - b. la realtà sia oggettiva
   - c. la realtà sia relativa

2. Secondo lui, gli uomini hanno costante bisogno di:
   - a. mentire a se stessi
   - b. ingannare gli altri
   - c. non crearsi illusioni

3. De Filippo debuttò al *San Carlo* di Napoli con *Napoli milionaria*:
   - a. prima della II guerra mondiale
   - b. durante la II guerra mondiale
   - c. dopo la II guerra mondiale

4. Filumena Marturano, alla fine:
   - a. convince Domenico a riconoscere il loro figlio
   - b. riesce a farsi sposare da Domenico
   - c. convince Domenico che sono tutti e tre figli suoi

3   Completate il testo inserendo una parola in ogni spazio.

Il successo: "Nel 1942, con i miei fratelli decidemmo di passare al teatro, con una compagnia nostra e con copioni scritti da noi. Debuttammo a Milano, (1)....................... *Odeon*. Ma chi ci conosceva? Le poltrone (2)....................... per metà vuote, però alla fine il pubblico gridava: "Viva Napoli". Un giornalista scrisse un lungo (3)....................... e nei giorni seguenti tutte le file (4)....................... riempirono!"

Il più bel ricordo: "È nella mia città che ho avuto la commozione più profonda. Fu alla prima di *Napoli milionaria*

Il grande Eduardo sul palcoscenico

(5)....................... '45. C'era la fame e tanta gente disperata. Ottenni il teatro San Carlo per una sera. [...] Io facevo Gennaro Esposito, (6)....................... povero e bravo uomo, che viene portato via dai tedeschi e (7)....................... torna trova un figlio ladro, la moglie che fa il mercato nero, si è arricchita e (8)....................... ha tradito, e la figlia che ha fatto l'amore con un soldato americano. Gennaro, con tolleranza, (9)....................... capire ai familiari che non è finito niente, che la (10)....................... continua. Recitavo e sentivo intorno a me un silenzio terribile. (11)....................... dissi l'ultima battuta: "Deve passare la notte" e scese il sipario, ci fu silenzio ancora (12)....................... otto, dieci secondi, poi scoppiò un applauso furioso e anche un pianto irrefrenabile; tutti piangevano e anch'io piangevo. Avevo detto il dolore di tutti."

tratto da un'*intervista a Eduardo De Filippo*

Luigi Pirandello, al centro, con i tre fratelli De Filippo (da sinistra: Peppino, Eduardo e Titina). Pirandello aveva un'immensa stima per i De Filippo, che avevano già interpretato con successo una sua commedia, *Il berretto a sonagli*. Secondo lui costituivano una forza nuova e autentica del teatro.

4 **Abbinate le parole ai disegni. Che cosa notate?**

a. teatro   b. teatrino   c. libro   d. librone   e. ragazzo   f. ragazzaccio

5 **Osservate la tabella. Erano giuste le vostre ipotesi?**

Le parole alterate

In italiano possiamo modificare una parola cambiando la sua terminazione: *gatto-gattino*, *bene-benino* ecc. Queste alterazioni possono essere relative alla **dimensione**, oppure alla **qualità**:

diminutivo:	**accrescitivo:**
-ino/a: *pensierino, stradina*	**-one** (*m.**): *simpaticone, pigrone*
-ello/a: *alberello, storiella*	**-ona** (*f.*): *casona*
-etto/a: *piccoletto, libretto*	* molti nomi femminili diventano maschili: *la donna - il donnone*
peggiorativo/dispregiativo:	**vezzeggiativo:**
-accio/a: *tempaccio, giornataccia, caratteraccio, parolacce*	**-uccio/a**: *casuccia, cavalluccio, boccuccia*

(dimensione / qualità)

6 Completate le frasi con la corretta forma alterata delle parole date.

1. Che ....! È da tre ore che piove a dirotto! *(tempo)*
2. Oggi non sto bene, mangio solo una .... *(minestra)*
3. Non ti aspettare un .... da tuo zio, lo sai che è senza lavoro. *(regalo)*
4. Quando ero bambino dormivo spesso nel .... con i miei. *(letto)*
5. Hai acceso anche il camino? Ecco perché c'è questo bel .... *(caldo)*

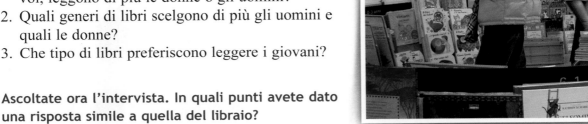

➡ 13 - 16

E Librerie e libri

1 Ascolteremo un'intervista a un libraio. Quelle di seguito sono alcune delle domande. Cosa rispondereste voi?

1. Il vostro è un popolo che legge molto? Secondo voi, leggono di più le donne o gli uomini?
2. Quali generi di libri scelgono di più gli uomini e quali le donne?
3. Che tipo di libri preferiscono leggere i giovani?

2 Ascoltate ora l'intervista. In quali punti avete dato una risposta simile a quella del libraio?

3 Ascoltate di nuovo e completate le informazioni con poche parole (massimo quattro).

1. Gli italiani storicamente sono poco ....

2. Bene o male si invoglia poco il bambino o la bambina a confrontarsi con letture ....
....

3. Il lettore "forte" è un... Intanto si dice da sempre ....

4. Le grandi case editrici spesso scelgono di pubblicare cose già in qualche modo sapendo e scegliendo ....

5. Il pubblico femminile si confronta ...., romanzi d'amore.

6. I giovani, come al solito, sono anche il tipo di pubblico più ....
....

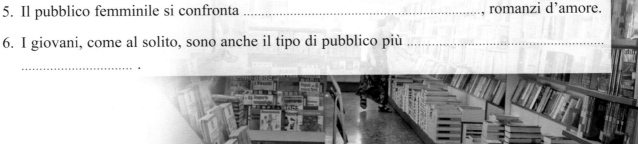

4 Che rapporto avete con la lettura? Dove e quando vi piace leggere? Scambiatevi idee.

5 Leggete il testo e indicate le affermazioni veramente presenti.

L'avventura di un lettore

Da tempo Amedeo tendeva a ridurre al minimo la sua partecipazione alla vita attiva. [...] L'interesse all'azione sopravviveva però nel piacere di leggere; la sua passione erano sempre le narrazioni di fatti, le storie, l'intreccio delle vicende umane. Romanzi dell'Ottocento, prima di tutto, ma anche memorie e biografie; e via via fino ad arrivare ai gialli e alla fantascienza, che non disdegnava ma che gli davano minor soddisfazione anche perché erano libretti brevi: Amedeo amava i grossi tomi e metteva nell'affrontarli il piacere fisico dell'affrontare una grossa fatica. [...]
Nel libro trovava un'adesione alla realtà molto più piena e concreta, dove tutto aveva un significato, un'importanza, un ritmo. Amedeo si sentiva in una condizione perfetta: la pagina scritta gli appariva la vera vita, profonda e appassionante, e alzando gli occhi ritrovava un casuale ma gradevole accostarsi di colori e sensazioni, un mondo accessorio e decorativo, che non poteva impegnarlo in nulla. La signora abbronzata, dal suo materassino, gli fece un sorriso e un cenno di saluto, lui rispose pure con un sorriso e un vago cenno e riabbassò subito lo sguardo. Ma la signora aveva detto qualcosa:
– Eh?
– Legge, legge sempre?
– Eh...
– È interessante?
– Sì.
– Buon proseguimento!
– Grazie.
Bisognava che non alzasse più gli occhi. Almeno fino alla fine del capitolo. Lo lesse d'un fiato. [...]
– Ma...
Amedeo fu costretto ad alzare il capo dal libro.
La donna lo stava guardando, ed i suoi occhi erano amari.
– Qualche cosa che non va? – lui chiese.
– Ma non si stanca mai di leggere? – disse la donna. – Non sa che con le signore si deve fare conversazione? – aggiunse con un mezzo sorriso che forse voleva essere solo ironico, ma ad Amedeo, che in quel momento avrebbe pagato chissà cosa per non staccarsi dal romanzo, sembrò addirittura minaccioso. "Cos'ho fatto, a mettermi qui!", pensò. Ormai era chiaro che con quella donna al fianco non avrebbe più letto una riga.

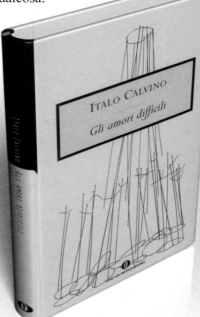

adattato da *Gli amori difficili* di Italo Calvino

1. Amedeo preferisce leggere libri lunghi e voluminosi.
2. Amedeo è un tipo sportivo.
3. Ha comprato un libro per leggerlo in spiaggia.
4. Per Amedeo, la letteratura è più importante della vita reale.
5. La signora legge una rivista di moda.
6. La signora sta prendendo il sole al mare.
7. Amedeo ha voglia di parlare del suo libro con la signora.
8. La signora vorrebbe che Amedeo parlasse con lei.
9. Amedeo finisce il libro prima di parlare con la signora.
10. La signora è in compagnia delle sue amiche.

F Vocabolario e abilità

1 Vita da libri! Osservando i disegni e con l'aiuto delle parole date, raccontate le varie fasi della vostra vita come se foste... un libro! Potete cominciate così: "Un giorno uno scrittore mi ha scritto... Poi..."

tipografo presentare lettore pubblicare stampare libraio impaginare
redattrice autore esporre vetrina editore comprare grafico correggere

2 **Ascolto** Quaderno degli esercizi

3 **Situazione**

Sei A: dopo questa unità... hai voglia di leggere uno dei libri di cui si è parlato. Vai in una libreria italiana e chiedi all'impiegato di aiutarti a scegliere. A pagina 195 trovi alcuni titoli e autori interessanti e qualche indicazione sulle domande da fare.
Sei B: lavori in libreria e conosci abbastanza bene la letteratura italiana. A pagina 202 trovi alcune delle informazioni di cui ha bisogno A.

4 **Scriviamo**

Scrivi un'e-mail a un amico italiano per parlargli di un libro italiano che hai letto e che ti è piaciuto molto. Inoltre, chiedi informazioni e consigli su altri titoli che potresti leggere. *(80-120 parole)*

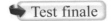 Test finale

Tale è l'attualità della Divina Commedia *che è ancora recitata da famosi attori.*

La letteratura italiana in breve

Ecco le tappe* più importanti della storia della letteratura italiana:

1300

Dante Alighieri (1265-1321) è il "padre" della letteratura ed anche della lingua italiana. La sua opera più nota, *La Divina Commedia*, uno dei capolavori della letteratura mondiale, fu presa come punto di riferimento per quella che sarebbe diventata la lingua italiana moderna.

1500

Il Rinascimento, oltre che nell'arte, ebbe grandi esponenti anche nella letteratura: tra tutti Ludovico Ariosto (1474-1533), autore del poema *Orlando Furioso*, ironico addio al mondo medievale dei cavalieri e dell'epica*.

1700

In Italia il teatro si sviluppa grazie a Carlo Goldoni (1707-1793) e alle sue commedie teatrali (*La locandiera*, *Il servitore di due padroni*) che vengono rappresentate ovunque, ancora con grande successo.

1800

È il periodo del Romanticismo*: nella poesia, Ugo Foscolo (1778-1827) e Giacomo Leopardi (1798-1837) esaltano il valore delle illusioni di fronte ad una realtà ostile*.
Nella prosa, Alessandro Manzoni (1785-1873) scrive il primo romanzo della letteratura italiana: *I promessi sposi*, ancora oggi letto da tutti gli studenti italiani.
Con Giovanni Verga (1840-1922) inizia una nuova stagione, quella del Verismo*, in cui la realtà è descritta in maniera più analitica, ma con esiti ugualmente pessimistici come per il Romanticismo.

1900-1950

Italo Svevo (1861-1928) con *La coscienza di Zeno* dà vita al primo romanzo psicologico, genere fino ad allora sconosciuto in Italia.
Nella poesia, i nomi più illustri di questo periodo sono Giuseppe Ungaretti ed Eugenio Montale, due tra i maggiori poeti europei del Novecento.
Nella narrativa, accanto a Moravia e Calvino, dobbiamo menzionare* anche Natalia Ginzburg, Leonardo Sciascia e Cesare Pavese.

1950-2000

Il nome della rosa, di Umberto Eco, è stato un grandissimo "best seller" a livello mondiale. Tra i "nuovi" autori amati dai lettori dobbiamo ricordare Alessandro Baricco e, più recentemente, Niccolò Ammaniti. Infine è interessante notare il fenomeno Camilleri: un anziano autore di romanzi gialli che è stato molto spesso in testa alle classifiche dei libri italiani più letti. Molto famose anche all'estero sono alcune scrittrici italiane contemporanee: Oriana Fallaci (*Lettera ad un bambino mai nato*, *Un uomo*, *Insciallah*), Elsa Morante (*Menzogna* e sortilegio**), Dacia Maraini (*Bagherìa*, *La lunga vita di Marianna Ucrìa*), e Susanna Tamaro (*Va' dove ti porta il cuore*, *Anima mundi*).

I premi Nobel

Sei sono gli italiani a cui è stato assegnato finora il Nobel per la letteratura: il primo è il poeta Giosuè Carducci nel 1906, la seconda è la romanziera Grazia Deledda nel 1926, seguita da Luigi Pirandello nel 1934, ed infine i poeti Salvatore Quasimodo (*Ed è subito sera*) nel 1959 ed Eugenio Montale (*Ossi di seppia*) nel 1975.

Nel 1997, a sorpresa, il Nobel è stato assegnato a Dario Fo, scrittore ed attore di teatro satirico, a volte rivoluzionario, ma sempre originale e divertente. Tra le sue opere più note sono *Mistero Buffo* e *Morte accidentale* di un anarchico*.

1. Perché Dante è considerato il padre della lingua italiana?
2. Qual è il primo romanzo della letteratura italiana?
3. Tra i premi Nobel italiani ci sono più scrittori o poeti?

Umberto Eco

Dario Fo

Non è un caso che la Società Dante Alighieri, *la maggiore istituzione per la promozione e la diffusione della lingua e della cultura italiana nel mondo (fondata nel 1889), porti il nome del più grande poeta del nostro paese.*

Glossario: tappa: momento importante all'interno di uno sviluppo storico; epica: genere di poesia che narra, racconta avvenimenti eroici; Romanticismo: movimento culturale nato in Germania alla fine del XVIII secolo e diffusosi in Europa nel XIX secolo, caratterizzato da un nuovo modo di vedere il mondo in cui sentimento e fantasia occupano un posto importante; ostile: nemico, contrario; Verismo: movimento letterario nato in Italia alla fine dell'Ottocento; menzionare: ricordare, nominare; menzogna: bugia, falsità; sortilegio: magia, incantesimo; accidentale: casuale, che avviene per caso.

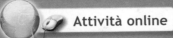

Attività online

Autovalutazione
Che cosa ricordate delle unità 10 e 11?

1. Abbinate le frasi.

1. Secondo te, lui potrebbe prestarci i soldi?
2. Stasera studierò fino a tardi!
3. Ma perché ha detto una cosa del genere?
4. Però, non ha fatto tutto quello che aveva promesso.

a. Così, per attaccare discorso.
b. A pensarci bene, no, hai ragione.
c. Chi, Giorgio?! Ma figurati!
d. Bravo, ogni tanto non guasta!

2. Sapete...? Fate l'abbinamento.

1. esprimere fastidio
2. esprimere indifferenza
3. precisare
4. chiedere una spiegazione

a. Lui non è d'accordo? E con ciò?
b. Nel senso che è molto più esperto di te.
c. Ti sembra strano? In che senso?
d. Ma quale errore, ma per favore!

3. Scegliete la parola adatta per ogni frase.

1. Ci sono *scrittori/esponenti/lettori/editori* che firmano i loro libri con un altro nome, uno pseudonimo.
2. La *libreria/biblioteca/letteratura/lettura* italiana è una delle più apprezzate al mondo, con molti 'tesori' da scoprire.
3. La parte grafica è importante: a volte basta una bella *trama/vetrina/copertina/casa editrice* per vendere più facilmente un libro.
4. I due giovani sono stati arrestati per *criminalità/rapina/pena/carcere* e saranno portati subito davanti al giudice.

4. Completate o rispondete.

1. Chi è considerato il padre della letteratura italiana?

....

2. Un autore teatrale italiano:

....

3. Il gerundio semplice di *partire*:

....

4. Il participio presente di *passare*:

....

**Verificate le vostre risposte
a pagina 203. Siete soddisfatti?**

Cattedrale di Siena (Toscana)

Autovalutazione generale
Quanto ricordate di quello che avete imparato in *Progetto italiano 2*?

1. Dove o in quale occasione sentireste le seguenti espressioni e parole?

1. "Il tasso d'interesse è molto basso."
   - ☐ a. in banca
   - ☐ b. in un annuncio di lavoro
   - ☐ c. in un teatro

2. "Ha l'ingresso indipendente."
   - ☐ a. in palestra
   - ☐ b. in un'agenzia immobiliare
   - ☐ c. in banca

3. "La frequenza è obbligatoria."
   - ☐ a. in palestra
   - ☐ b. all'università
   - ☐ c. in un museo

4. "I cani sono ammessi?"
   - ☐ a. in libreria
   - ☐ b. all'università
   - ☐ c. in albergo

5. "Quali erano le Sue mansioni?"
   - ☐ a. durante un colloquio di lavoro
   - ☐ b. in un museo
   - ☐ c. in libreria

6. "Il prezzo comprende il volo e il soggiorno."
   - ☐ a. in albergo
   - ☐ b. in un'agenzia di viaggi
   - ☐ c. in un'agenzia immobiliare

2. Abbinate le due colonne. Attenzione: c'è una risposta in più.

1. Allora, mi hai preso in giro?
2. Strano quello che è capitato a Giulio, no?
3. Avete già chiesto le ferie?
4. Hai sentito della nuova legge sul lavoro?
5. Mi presteresti il tuo motorino?
6. Direttore, posso parlarLe?
7. Luisa si sposa tra un mese.
8. Tu e Mirco dovreste parlare.

a. E perché mai? Tanto ha sempre ragione lui!
b. A proposito, vuoi venire con noi a Capri?
c. A quanto pare, non passerà.
d. Ma non si può andare avanti così!
e. Detto tra noi, si è inventato tutto.
f. Ma no, stavo solo scherzando!
g. Non mi dica che vuole un aumento?!
h. E con ciò? Io ormai sto con Maria.
i. Ma stai scherzando? Me lo hanno rubato!

3. Inserite le parole date nella categoria giusta. Ogni categoria ha 3 parole.

1. *banca* ....
2. *albergo* ....
3. *università* ....
4. *opera* ....
5. *museo* ....
6. *libreria* ....
7. *agenzia immobiliare* ....

> *prenotazione   interessi   racconto   soprano   scultura   doppi servizi   libretto*
> *tesi   monolocale   corsi   mezza pensione   tenore   appunti   cantina*
> *statua   romanzo   sportello   dipinto   giallo   pernottamento   prelevare*

4. Completate le frasi con la parola mancante.

1. Perché non me lo hai riportato? Non ti ho detto che .... serviva per oggi?
2. Secondo me dovresti dir ...., in fondo ha tutto il diritto di sapere come stanno le cose.
3. Ragazzi, domani .... di voi porti il proprio dizionario di inglese per il compito in classe.
4. .... lui non ci si può proprio fidare: è un irresponsabile!

5. Mi ha spiegato i motivi per .... non è venuto e non posso dargli tutti i torti.

6. Se rimpiango i vecchi tempi? .... penso continuamente!

7. .... l'abbiamo fatta: siamo in finale!

8. È rimasta un po' di torta: .... vuoi un pezzo?

5. Completate con il tempo e il modo giusto dei verbi dati, non sempre in ordine, per ogni frase.

1. Ti ...., ma non avevo con me il cellulare. Comunque non pensavo .... di una cosa tanto urgente: mi dispiace! *(trattarsi / chiamare)*

2. Quei ladruncoli .... dall'anziana portiera che è riuscita a farli scappare .... con un ombrello. *(sorprendere / minacciarli)*

3. Una volta .... all'aeroporto, mio marito si è accorto di .... i biglietti a casa! *(arrivare / dimenticare)*

4. Mio padre mi diceva sempre: "Solo .... duramente e onestamente .... strada nella vita, figlio mio". *(fare / lavorare)*

6. Unite le frasi attraverso le congiunzioni giuste, come nell'esempio.

1. Va bene, ti racconterò tutto   prima che   a. non avessi mangiato.

2. Luisa non ha voluto giocare   purché   b. venga a saperlo da una terza persona.

3. Non l'ho aiutato   a meno che   c. tu mi prometta che rimarrà tra noi!

4. Ti ho portato un panino   nel caso   d. le sue condizioni fisiche fossero buone.

5. Diglielo tu   affinché   e. i tuoi non lo sappiano già.

6. Non prendere certe decisioni   nonostante   f. impari a cavarsela da solo.

7. Completate le frasi con i derivati delle parole date tra parentesi.

1. Gli .... hanno promosso un'iniziativa per la salvaguardia del verde cittadino. *(ambiente)*

2. È una persona seria e competente, un vero .... *(professione)*

3. Preferirei vivere in campagna perché amo la .... *(tranquillo)*

4. La casa che vorremmo comprare ha una camera da letto veramente .... *(spazio)*

5. Si è messo a piovere .... , ci siamo bagnati dalla testa ai piedi. *(improvviso)*

6. Sto studiando il tedesco e trovo molta .... a memorizzare le parole nuove. *(difficile)*

8. Completate con il tempo e il modo giusto dei verbi dati.

dire   dovere   essere   potere   potere   promuovere   studiare   trasferirsi

1. Ma lo sai che sono proprio contento per te! .... con il massimo dei voti perché te lo sei meritato dopo .... tanto.

2. Se tu non .... così disordinato, non .... ogni volta cercare per ore tra le tue cose!

3. Sapevi che Marta .... fuori città? A me non .... mai niente nessuno!

4. I curriculum vitae .... spedire via fax allo 0642568958 oppure .... mandare come allegati per posta elettronica a info@impresa.it.

Controllate le soluzioni a pagina 203.
Siete soddisfatti di quello che avete imparato fin qui?

Vi aspettiamo tutti in *Progetto italiano 3*!

Unità 1
pagina 12

I pronomi diretti

Mi senti bene?
Cos'hai? Non *ti* vedo molto allegro oggi.
Lo sapevi anche tu?
Quando vedo Ilaria *la* saluto.
Professore, *La* ringrazio di tutto.
Nostra figlia *ci* invita spesso a casa sua.
Ragazzi, ormai *vi* conosco molto bene.
Questi cd non *li* ho ancora ascoltati.
Ma tu, Maria e Gilda, *le* vedrai o no?

I pronomi indiretti

Cosa *mi* regali per il mio compleanno?
Ti piace il gelato al cioccolato?
Gli dirò quel che è successo.
Le ho raccontato tutta la verità.
Signor Marini, *Le* chiedo scusa.
Ci ha mandato una cartolina da Torino.
Vi auguro un buon fine settimana.
Ai miei *gli* ho spiegato tutto.
Gli chiederò il perché alle ragazze.

Unità 2
pagina 26

Spesso quando *cui* è preceduto dalla preposizione *a*, questa diventa facoltativa:
La persona (*a*) *cui* sono più legato nella mia famiglia, è mia madre.

Particolarità del pronome *cui*

Il pronome relativo *cui* ha valore di complemento di specificazione (*di chi? di che cosa?*) quando è preceduto da un articolo determinativo, il quale concorda con il sostantivo che segue (**i cui fratelli**).

Non ammetteremo candidati, *le cui* domande arriveranno oltre il termine previsto. (*le domande dei quali*)
Italo Svevo, *il cui* vero nome era Ettore Schmitz, è nato a Trieste nel 1861. (*il nome del quale*)
Questo è l'elenco delle università *i cui* diplomi di laurea valgono anche all'estero. (*i diplomi delle quali*)
Ho un appuntamento con l'ing. Taddei, *la cui* offerta mi sembra molto interessante. (*l'offerta del quale*)

Forme particolari nell'uso di *cui* relativo

Tutti si sono affrettati a salutare il presidente *alle cui* preoccupazioni, però, non è stata data nessuna risposta.   (*alle preoccupazioni del quale*)
Alberto, *alla cui* festa c'ero anch'io, ha compiuto cinquant'anni.   (*alla festa del quale*)
I ragazzi, *del cui* comportamento sono state avvertite le famiglie, rimarranno in classe.   (*del comportamento dei quali*)

Unità 3
pagina 41

Farcela

Purtroppo non *ce la faccio* da solo.
Ce la fai a portare tutte queste valigie?
Ha fatto di tutto ma non *ce la fa*.
Vedrai che *ce la facciamo* ad arrivare presto!
Ragazzi, *ce la fate* o vi serve una mano?
Ce la fanno solo gli studenti più bravi in questa scuola!

Andarsene

Ragazzi, io *me ne vado*! Sono stanco.
Te ne vai di già? Ma è ancora presto.
Signora, perché *se ne va*?
Mamma, noi *ce ne andiamo*. A domani!
E così... *ve ne andate* subito?!
I ragazzi *se ne vanno* senza dire niente.

pagina 49

Forme particolari di superlativo

Buono	Sei veramente fortunato: il tuo è un *ottimo* posto!
Cattivo	È una persona in gamba, ma ha un *pessimo* carattere.
Grande	Va' avanti: ti seguo con la *massima* attenzione.
Piccolo	Cerchiamo di organizzare la festa con la *minima* spesa possibile.

Unità 4
pagina 58

Uso del passato remoto

- in azioni lontane nel tempo, azioni storiche, azioni non legate al presente;
- in azioni che il parlante non trova interessanti e nelle quali non è coinvolto emotivamente e, scegliendo il passato remoto al posto del passato prossimo, mostra appunto questo disinteresse, questa "lontananza emotiva" dall'azione stessa. Si tratta quindi di una scelta di stile e soggettiva;
- nella lingua scritta (soprattutto fiabe e racconti letterari) e meno nella lingua parlata (fatta eccezione per il Sud e parte del Centro Italia dove si parla preferendo il passato remoto al passato prossimo).

pagine 60 e 62

Verbi irregolari al passato remoto

avere: *ebbi, avesti, ebbe, avemmo, aveste, ebbero*
essere: *fui, fosti, fu, fummo, foste, furono*
accorgersi: *mi accorsi, ti accorgesti, si accorse, ci accorgemmo, vi accorgeste, si accorsero*
aprire: *aprii (apersi), apristi, aprì (aperse), aprimmo, apriste, aprirono (apersero)*
dare: *diedi (detti), desti, diede (dette), demmo, deste, diedero (dettero)*
dire: *dissi, dicesti, disse, dicemmo, diceste, dissero*
fare: *feci, facesti, fece, facemmo, faceste, fecero*
mettere: *misi, mettesti, mise, mettemmo, metteste, misero*
stare: *stetti, stesti, stette, stemmo, steste, stettero*
vedere: *vidi, vedesti, vide, vedemmo, vedeste, videro*

assumere: *assunsi*	dirigere: *diressi*	piangere: *piansi*	scendere: *scesi*
bere: *bevvi*	discutere: *discussi*	porre: *posi*	scrivere: *scrissi*
cadere: *caddi*	distruggere: *distrussi*	prendere: *presi*	spendere: *spesi*
chiedere: *chiesi*	escludere: *esclusi*	proteggere: *protessi*	succedere: *succedetti*
chiudere: *chiusi*	esprimere: *espressi*	rendere: *resi*	tacere: *tacqui*
cogliere: *colsi*	giungere: *giunsi*	ridere: *risi*	tenere: *tenni*
condurre: *condussi*	leggere: *lessi*	rimanere: *rimasi*	togliere: *tolsi*
conoscere: *conobbi*	muovere: *mossi*	risolvere: *risolsi*	trarre: *trassi*
convincere: *convinsi*	nascere: *nacqui*	rispondere: *risposi*	venire: *venni*
correre: *corsi*	nascondere: *nascosi*	rompere: *ruppi*	vincere: *vinsi*
decidere: *decisi*	perdere: *persi*	sapere: *seppi*	vivere: *vissi*
difendere: *difesi*	piacere: *piacqui*	scegliere: *scelsi*	volere: *volli*

pagina 62

Numeri romani

I = 1	II = 2	III = 3	IV = 4	V = 5	VI = 6	VII = 7	VIII = 8	IX = 9	X = 10
XX = 20	XXX = 30	XL = 40	L = 50	C = 100	D = 500	CM = 900	M = 1.000		

Unità 5
pagina 74

Verbi irregolari al congiuntivo

Infinito	Indicativo presente	Congiuntivo presente			
andare	vado	vada	andiamo	andiate	vadano
dire	dico	dica	diciamo	diciate	dicano
fare	faccio	faccia	facciamo	facciate	facciano
salire	salgo	salga	saliamo	saliate	salgano
scegliere	scelgo	scelga	scegliamo	scegliate	scelgano
uscire	esco	esca	usciamo	usciate	escano
venire	vengo	venga	veniamo	veniate	vengano
volere	voglio	voglia	vogliamo	vogliate	vogliano
porre	pongo	ponga	poniamo	poniate	pongano
potere	posso	possa	possiamo	possiate	possano

pagina 76

Uso del congiuntivo (I)

Usiamo il congiuntivo in frasi dipendenti da altre che esprimono generalmente soggettività, volontà, incertezza, stato d'animo ecc., ma solo quando i due verbi hanno soggetti diversi. In particolare quando esprimono:

Opinione soggettiva:	*Credo / Penso / Direi che* tu debba accettare l'offerta.
	Immagino / Suppongo / Ritengo che tutto sia finito bene.
	Mi pare / Mi sembra / Ho l'impressione che lei fumi troppo.
Incertezza:	*Non sono sicuro / certo che* Mario sia leale.
	Dubito che Anna abbia pensato a questa cosa.
	Non so se / Ignoro se si sia già laureato.
Volontà:	*Voglio / Non voglio che* tu faccia tardi stasera.
	Desidero / Preferisco che voi restiate a casa.
Stato d'animo:	*Sono felice / contento che* tutto sia andato bene.
	Mi fa piacere / Mi dispiace che le cose stiano così.
Speranza:	*Spero / Mi auguro che* tutto finisca bene.
Attesa:	*Aspetto che* arrivi mia madre per uscire.
Paura:	*Ho paura / Temo che* lui se ne vada.

Verbi o forme impersonali:

Bisogna / Occorre che voi torniate presto.

Può darsi che Tiziana non possa venire con noi.

Si dice / Dicono che Carlo e Lisa si siano lasciati.

Pare / Sembra che siano ricchi sfondati.

(non) {

È necessario / importante che io parta subito.

È opportuno / giusto che questa storia finisca qui.

È meglio che io inviti tutti quanti?

È normale / naturale / logico che ci sia traffico a quest'ora?

È strano / incredibile che Gianna abbia reagito così male.

È possibile / impossibile che tutti siano andati via.

È probabile / improbabile che lei sappia già tutto.

È facile / difficile che uno dia l'impressione sbagliata.

È un peccato che abbiate perso questo spettacolo.

> *È ora che* tu mi dica tutta la verità.
> *È bene che* siate venuti presto.
> *È preferibile che* io non esca con voi: sono di cattivo umore!

pagina 78

Uso del congiuntivo (III)

chiunque	Lui litiga con chiunque tifi per un'altra squadra.
qualsiasi	Chiamami per qualsiasi cosa tu abbia bisogno.
qualunque	Qualunque cosa gli venga in mente, la dice senza pensarci!
(d)ovunque	Dovunque tu vada, io verrò con te!
comunque	Non devi perderti di coraggio, comunque stiano le cose.
il ... più	È la donna più bella che abbia mai conosciuto.
più ... di quanto	Il fumo è più nocivo di quanto tu possa immaginare.
l'unico / il solo che	Giorgio è l'unico / il solo che possa aiutarti in questa situazione.
non c'è nessuno che	Non c'è nessuno che ti voglia tanto bene quanto la tua mamma!
augurio	Che Dio sia con te!
desiderio	Vogliono venire? Che vengano! Li aspettiamo con piacere!
dubbio	Che siano già partiti?
domanda indiretta	Mi chiedo se tu mi voglia veramente bene.
alcune frasi relative	Sara è nervosa: devo trovare una ragazza che abbia più pazienza.
	Silvia cerca un uomo che sia ricco e stupido! Perché non ci provi tu?!
Che...	Che loro siano poveri, lo so bene. *ma*: So bene che loro sono poveri.
(inversione)	Che mi abbia tradito è sicuro. *ma*: È sicuro che mi ha tradito.

Unità 6
pagina 88

Imperativo del verbo *essere* e *avere*

	tu	lui, lei	noi	voi	loro
essere	sii	sia	siamo	siate	siano
avere	abbi	abbia	abbiamo	abbiate	abbiano

pagina 96

Indefiniti come pronomi

Sempre al singolare sostituiscono un nome:

uno/a:	Eugenio? L'ho visto poco fa che parlava con uno, forse un suo collega.
ognuno/a:	Ognuno deve saper comportarsi.
qualcuno/a:	Qualcuno di voi è mai stato in Italia?
chiunque:	Quello che è successo a te potrebbe succedere a chiunque.
qualcosa:	Vuoi qualcosa da bere?
niente / nulla:	Nella vita niente è gratis! *ma*: Io non ho visto niente.
	Nulla è perduto. *ma*: Non è perduto nulla.

Indefiniti come aggettivi

Accompagnano un nome:

ogni:	C'è una soluzione per ogni problema.
qualche:	Se hai qualche problema, non esitare a parlarmene.
qualsiasi / qualunque:	Non preoccuparti! Mi puoi chiamare a qualsiasi ora.
	Ti starò vicina qualunque cosa tu voglia fare.
certo/a - certi/e:	Certe (alcune) persone mi danno proprio ai nervi.

Attenzione!

diverso/a - diversi/e:	È un tipo interessante con diversi hobby. (molti hobby)
	Io e Marcella abbiamo hobby diversi. (hobby non uguali)
vario/a - vari/ie:	Quest'estate ho intenzione di leggere vari libri. (molti)
	L'estate scorsa ho letto libri vari. (non uguali, di generi diversi)

Unità 7
pagina 104

Il congiuntivo imperfetto del verbo *essere*, *dare* e *stare*

	essere		dare		stare	
	Credeva che...		*Occorreva che...*		*Hanno pensato che...*	
io	fossi		dessi		stessi	
tu	fossi		dessi		stessi	
lui, lei	fosse	*insieme.*	desse	*cinque esami.*	stesse	*male.*
noi	fossimo		dessimo		stessimo	
voi	foste		deste		steste	
loro	fossero		dessero		stessero	

pagina 108

Uso del congiuntivo (I)

Opinione soggettiva:	*Credevo / Pensavo / Avrei detto che* lui fosse più intelligente.
	Immaginavo / Supponevo / Ritenevo che tutto fosse finito.
	Mi pareva / Mi sembrava che lei fumasse troppo.
Incertezza:	*Non ero sicuro / certo che* Mario fosse veramente bravo.
	Dubitavo che Anna avesse pensato qualcosa del genere.
	Non sapevo se / Ignoravo se si fosse già laureato.
Volontà:	*Volevo / Desideravo / Preferivo che* venisse anche lei.
	Vorrei / Avrei voluto che tu rimanessi / fossi rimasto.
Stato d'animo:	*Ero felice / contento che* finalmente vi sposaste.
	Mi faceva piacere / Mi dispiaceva che le cose stessero così.
Speranza:	*Speravo / Mi auguravo che* tutto finisse bene.
Attesa:	*Aspettavo che* arrivasse mia madre per uscire.
Paura:	*Avevo paura / Temevo che* lui se ne andasse.

Verbi o forme impersonali

Bisognava / Occorreva che voi tornaste presto.
Si diceva / Dicevano che Carlo e Lisa si fossero lasciati.
Pareva / Sembrava che fossero ricchi sfondati.
Era preferibile che io non uscissi con voi: ero di cattivo umore!
Era bene che foste venuti presto.

(non) {
Era ora che lei mi dicesse tutta la verità.
Era opportuno / giusto che quella storia finisse lì.
Era necessario / importante che io partissi subito.
Era un peccato che aveste perso lo spettacolo.
Era meglio che io avessi invitato tutti quanti?
Era normale / naturale / logico che ci fosse traffico a quell'ora?
Era strano / incredibile che Gianna avesse reagito così male.
Era possibile / impossibile che tutti fossero andati via.
Era probabile / improbabile che lei sapesse già tutto.
Era facile / difficile che uno desse l'impressione sbagliata.
}

Attenzione!

Se una frase, invece, esprime certezza o oggettività usiamo l'indicativo:
Ero sicuro che lui era un amico.
Sapevo che era partito.
Era chiaro che aveva ragione.

pagina 109

Uso del congiuntivo (II)

benché / sebbene nonostante / malgrado	*Nonostante* mi sentissi stanco, sono uscito.
purché / a patto che a condizione che	Ho accettato di uscire con lui, *a condizione che* passasse a prendermi.
senza che	Mi hanno dato un aumento, *senza che* io lo chiedessi!
nel caso (in cui)	Ho preso con me l'ombrello *nel caso* piovesse.
affinché / perché	L'ho guardata a lungo, *perché* mi notasse!
prima che	Dovevo finire *prima che* cominciasse la partita.
a meno che / (tranne che)	Sarebbe venuto, *a meno che* non avesse qualche problema.
come se	Ricordo quella notte *come se* fosse ieri.

pagina 111

Uso del congiuntivo (III)

chiunque	Lui litigava con chiunque avesse idee diverse dalle sue.
qualsiasi	Poteva chiamarmi per qualsiasi cosa avesse bisogno.
qualunque	Qualunque cosa le venisse in mente, la diceva senza pensarci!
(d)ovunque	Dovunque lei andasse, lui la seguiva!
comunque	Comunque andassero le cose, lui non si scoraggiava mai.
il ... più	Era la donna più bella che avessi mai conosciuto.
più ... di quanto	L'incendio è stato più disastroso di quanto si potesse immaginare.
l'unico / il solo che	Giorgio era l'unico / il solo che potesse aiutarti in quella situazione.
augurio / desiderio	Magari tu avessi ascoltato i miei consigli!
dubbio	Che fossero già partiti?
domanda indiretta	Mi ha chiesto se tu fossi sposato o single.

alcune frasi relative	Dovevo trovare una segretaria che fosse più esperta.
	Cercava una casa in campagna che non costasse troppo.
Che...	Che avessero dei problemi, lo sapevamo già.
	ma: Sapevamo che avevano dei problemi.
(inversione)	Che mi avesse tradito era sicuro. *ma*: Era sicuro che mi aveva tradito.

pagina 111

Quando NON usare il congiuntivo!

Un errore che fa spesso chi impara l'italiano è usare troppo il congiuntivo!
Usiamo l'infinito o l'indicativo e non il congiuntivo nei seguenti casi:

stesso soggetto

| Pensavo che tu fossi bravo. | *ma*: Pensavo di essere bravo. (*io*) |
| Ilaria voleva che io andassi via. | *ma*: Ilaria voleva andare via. (*lei*) |

espressioni impersonali

| Bisognava che tu facessi presto. | *ma*: Bisognava / Era meglio fare presto. |

secondo me / forse / probabilmente
Secondo me, aveva torto.
Forse lui non voleva stare con noi.

anche se / poiché / dopo che
Anche se era molto giovane, non gli mancava l'esperienza.

Unità 8
pagina 122

Altre forme di periodo ipotetico

1° tipo:	Se hai bisogno di qualcosa, chiamami!
3° tipo:	Se venivi ieri, ti divertivi un sacco. / Se non andavo, era meglio.
	(= se fossi venuto, ti saresti divertito / = se non fossi andato, sarebbe stato meglio)

pagina 124

Usi di *ci*

Ciao, ci vediamo..., ci sentiamo... Insomma, a presto!	pronome riflessivo
È molto gentile: ci saluta sempre!	pronome diretto (*noi*)
I tuoi genitori ci hanno portato i dolci?! Come mai?	pronome indiretto (*a noi*)
Stamattina sull'autobus c'erano forse più di cento persone!	*ci* + essere = essere presente (talvolta: esistere)
-Hai tu le mie chiavi? -No, non ce le ho io. È il vicino di casa ideale: né ci sente, né ci vede tanto bene! Io veramente non ci capisco niente in questa storia. Noi, in questo locale, non ci siamo mai stati.	*ci* pleonastico
Lui ha inventato una scusa, ma non ci ho creduto! Uscirai con Stefano?! Ma ci hai pensato bene? Sì, è un po' lamentosa, ma ormai mi ci sono abituato! Parlare con il sindaco? Ci ho provato, ma non ci sono riuscito.	ad una cosa / persona

Con Donatella? Ci sto molto bene.	
È una faccenda seria, non ci scherzare.	con qualcosa / qualcuno
Si è comprato un nuovo DVD e ci gioca dalla mattina alla sera.	
A Roma? Sì, ci sono stata due volte.	
Stasera andiamo al cinema. Tu ci vieni?	in un luogo
Alla fine ci siamo rimasti molto più del previsto.	
Di solito ci vogliono quattro ore, ma io ce ne metto due!	espressioni particolari
Ragazzi, andate più piano; non ce la faccio più!	

pagina 126

Usi di *ne*

-Quante e-mail ricevi al giorno? -Ne ricevo parecchie.	
-Quanti anni hai, Franco? -Ne ho ventitré.	*ne* partitivo
-Coca cola? -No, grazie, oggi ne ho bevuta tantissima.	
Mi piacciono molto i libri di Moravia; ne ho letti quattro o cinque.	
-Come va con Gino? -Ne sono innamorata come il primo giorno!	
-Gli hai parlato del prestito? -Sì, ma non ne vuole sapere!	
-Ma perché tante domande su Serena? -Perché non ne so niente.	
Di matrimonio? Figurati! Marco non ne vuole sentire parlare!	di qualcosa / qualcuno
I suoi genitori sono sempre a casa nostra, ma io non ne posso più!	
È un'insegnante molto nervosa: gli alunni ne hanno paura!	
Ti volevo avvisare del mio ritardo, ma me ne sono dimenticato!!	
Hanno speso tanti milioni per capire che non ne valeva la pena!	
-È così brutta questa situazione?. -Sì... e non so come uscirne.	
Vattene! Non ti voglio più vedere! ...Per i prossimi trenta minuti!	da un luogo / una situazione
Se n'è andato senza dire nemmeno una parola.	

Unità 9
pagina 136

I pronomi diretti nella forma passiva

attiva	**passiva**
Questa trasmissione la guardano tutti.	Questa trasmissione è guardata da tutti.
Non è un segreto: me l'ha detto Fabio.	Non è un segreto: mi è stato detto da Fabio.
Bravi ragazzi: ce li ha presentati Sara.	Bravi ragazzi: ci sono stati presentati da Sara.
Queste rose ce le ha offerte Dino.	Queste rose ci sono state offerte da Dino.

pagina 142

Il *si* passivante con *dovere* e *potere*

La verdura si dovrebbe mangiare anche tre volte al giorno.
Con le nuove misure si dovrebbero licenziare migliaia di operai.
Dove si può bere un buon caffè da queste parti?
Ormai molti prodotti si possono comprare per corrispondenza.

pagina 144

Dubbi sulla forma passiva

F	Tutti i verbi possono avere la forma passiva.
V	Il verbo *venire* si usa solo nei tempi semplici.
F	Preferiamo la forma passiva quando ci interessa chi fa l'azione.
V	Il verbo *andare* dà un senso di necessità.
F	La forma passiva dei verbi modali (*dovere - potere*) si forma con l'infinito del verbo *avere*.
V	La differenza tra il *si* impersonale e il *si* passivante sta nel fatto che il verbo di quest'ultimo ha un soggetto con cui concorda.

- Hanno forma passiva solo i verbi transitivi, quelli cioè che hanno un oggetto. Ma non sempre la forma passiva ha senso: *Ogni mattina un caffè è bevuto da me.*
- Preferiamo la forma passiva quando non sappiamo o non ci interessa da chi è fatta l'azione: *Le opere sono state rubate ieri sera.* / *La legge è stata approvata.*
- Il verbo *venire* si usa solo nei tempi semplici e spesso sottolinea l'aspetto abituale dell'azione: *Ogni giorno venivano cancellati molti voli.*
- Il verbo *andare* dà un senso di necessità: *Il film va visto = deve essere visto = si deve vedere (è da vedere).*
- La forma passiva dei verbi modali (*dovere - potere*) si forma con l'infinito del verbo *essere*: *La casa deve essere venduta al più presto.*
- La differenza tra il *si* impersonale e il *si* passivante sta nel fatto che il verbo di quest'ultimo ha un soggetto con cui concorda. Osservate:
  In Italia si mangia molto bene. (impersonale: senza soggetto)
  In Italia si mangia molta mozzarella. (passivante: con soggetto)
  Praticamente bisogna stare attenti solo al plurale: *Si mangiano vari tipi di pasta.*
- La forma perifrastica (*Sto scrivendo una lettera*) non si può usare alla forma passiva.

Unità 10
pagina 152

Discorso diretto e indiretto (I)

DISCORSO DIRETTO	DISCORSO INDIRETTO	
presente	**imperfetto**	
Ha detto: "Penso che tu *abbia* torto".	Ha detto che pensava che io *avessi* torto.	
imperfetto	**imperfetto**	*al congiuntivo*
Disse: "Credevo che lui *fosse* a scuola".	Disse che credeva che lui *fosse* a scuola.	
passato	**trapassato**	
Mi disse: "Credo che Aldo *sia partito*".	Mi disse che credeva che Aldo *fosse partito*.	

DISCORSO DIRETTO	DISCORSO INDIRETTO
passato remoto	**trapassato prossimo**
Ha detto: "A vent'anni *andai* in Cina".	Ha detto che a vent'anni *era andato* in Cina.
futuro (o presente come futuro)	**condizionale composto**
Ha detto: "*Andrò* via".	Ha detto che *sarebbe andato* via.
Ha detto: "*Parto* stasera".	Ha detto che *sarebbe partito* quella sera.

pagina 154

Discorso diretto e indiretto (II)

DISCORSO DIRETTO	DISCORSO INDIRETTO
questo	quello
qui	lì
ora (adesso, in questo momento)	allora (in quel momento)
oggi	quel giorno
domani	il giorno dopo
ieri	il giorno prima
fra...	...dopo
...fa	...prima

pagina 157

Discorso diretto e indiretto (III)

DISCORSO DIRETTO	DISCORSO INDIRETTO
imperativo	**di + infinito**
"*Parla* più piano!"	Mi ha detto *di parlare* più piano.
venire	**andare**
"*Vengono* spesso a farmi visita."	Disse che *andavano* spesso a farle visita.
domanda (al passato)	**(se +) congiuntivo o indicativo**
Le chiese: "*Hai visto* Marco?"	Le chiese *se avesse (aveva) visto* Marco.
Gli ho chiesto: "Come *sta* tuo padre?"	Gli ho chiesto come *stesse (stava)* suo padre.
domanda (al futuro)	**(se +) condizionale composto**
Mi ha chiesto: "A che ora *tornerai*?"	Mi ha chiesto a che ora *sarei tornato*.
Mi ha chiesto: "*Tornerai*?"	Mi ha chiesto *se sarei tornato*.

pagina 159

Il periodo ipotetico nel discorso indiretto

Quando ci riferiamo a ipotesi/conseguenze anteriori al momento dell'enunciazione tutti i tipi di periodo ipotetico diventano nel discorso indiretto del III tipo:

DISCORSO DIRETTO

Marco mi ha detto:
I. "Se vinco/vincerò il concorso, ti invito/inviterò a cena".
II. "Se vincessi il concorso, ti offrirei una cena".
III. "Se avessi vinto il concorso, ti avrei offerto una cena".

DISCORSO INDIRETTO

Marco mi ha detto che se avesse vinto il concorso, mi avrebbe offerto una cena.*

*I risultati del concorso sono già usciti.

Mentre quando le ipotesi si riferiscono a un momento successivo a quello dell'enunciazione si possono mantenere il I e il II tipo invariati anche nel discorso indiretto:

DISCORSO INDIRETTO

I. Marco mi ha detto che se vince/vincerò il concorso, mi offre/offrirà una cena.**
II. Marco mi ha detto che se vincesse il concorso, mi offrirebbe una cena.**

** Non si conoscono ancora i risultati del concorso.

Cambiano, in alcuni casi, i pronomi personali e quelli possessivi:
"Oggi io uscirò con le mie amiche".   Gianna dice che oggi lei uscirà con le sue amiche.

Unità 11
pagina 168

Verbi irregolari al gerundio

I verbi irregolari al gerundio sono gli stessi che hanno l'imperfetto irregolare, ossia:

- *fare - facendo*
- *bere - bevendo*
- *dire - dicendo*
- verbi che finiscono in *-urre*, come *tradurre - traducendo*
- verbi che finiscono in *-orre*, come *porre - ponendo*
- verbi che finiscono in *-arre*, come *trarre - traendo*

Uso del gerundio semplice

azioni simultanee:	Camminava *parlando* al cellulare.
modo (come?):	Mi guardava *sorridendo*.
causa (perché?):	*Essendo* stanco, ho preferito non uscire.
un'ipotesi (se...):	*Cercando*, potresti trovare una casa migliore.

Il gerundio con i pronomi

Il gerundio, sia semplice che composto, forma un'unica parola con i pronomi di ogni tipo:

semplice	**composto**
Vedendola entrare, l'ho salutata.	*Avendola vista*, l'ho salutata.
Scrivendole una poesia, l'ho conquistata.	*Avendole scritto* una poesia, l'ho conquistata.
Alzandosi presto, ci si sente stanchi.	*Essendosi alzato* presto, si sente stanco.
Parlandone, abbiamo chiarito tutto.	*Avendone parlato*, abbiamo chiarito tutto.
Andandoci spesso, si divertono.	*Essendoci andati*, si sono divertiti.

pagina 170

Infinito presente

come sostantivo:	Il *mangiare* in continuazione è sintomo di stress. / Tra il *dire* e il *fare* c'è di mezzo il mare.
come soggetto:	*Camminare* fa bene. / *Fidarsi* è bene, non *fidarsi* è meglio.
in frasi esclamative o interrogative:	*Parlare* così a me! / *Uscire*? No, sono stanco. / E ora, che *fare*?
in istruzioni:	*Compilare* il modulo. / *Premere* per prenotare la fermata. / *Rispondere* alle domande.
preceduto da preposizione:	Ad *essere* sincero... / A *dire* la verità... / A *sentire* Gianni, la situazione è difficile.

pagina 172

Participio presente

aggettivo:	Il libro era veramente *interessante*. / È molto *pesante*.
sostantivo:	I miei *assistenti*. / Una brava *cantante*.
verbo:	Una squadra *vincente* (che vince). / Il pezzo *mancante* (che manca)

Unità 1

pagina 19

Domande possibili per A:
- Sono previsti corsi intensivi / specifici?
- L'alloggio è solo in famiglie?
- Sono previste gite o escursioni nei fine settimana?

Unità 2

pagina 35

Curriculum Vitae

INFORMAZIONI PERSONALI
Nome: Paolo Freddi
Data e luogo di nascita: 5 luglio 1980, Torino
Stato civile: celibe
Indirizzo: Corso dei Mille, Torino
Telefono: 340.112233
E-mail: freddino@tiscali.it
Nazionalità: italiana

ISTRUZIONE E FORMAZIONE
TITOLI DI STUDIO
a.a. 2004-2005: Politecnico di Torino. Laurea in **INGEGNERIA ELETTRONICA** (votazione: 110/110).
a.a. 2005-2006: Politecnico di Milano. Master in **TECNOLOGIA DELL'INFORMAZIONE**.

CONOSCENZA DELLE LINGUE
INGLESE: Ottima comprensione e produzione scritta e orale.
FRANCESE: Buona comprensione scritta e orale, buona produzione scritta e orale.

PRATICA DEI SISTEMI INFORMATICI
Buona conoscenza dei sistemi operativi MS-DOS, WINDOWS e Mac Os.
Buona conoscenza dei programmi Office e AppleWorks. Ottima conoscenza di Word, Publisher e Adobe Photoshop.

ESPERIENZE LAVORATIVE
2006-2007: Tirocinio di sei mesi presso il Gruppo *Star Communication* come membro dello staff tecnico degli studi di registrazione audio-visivi.

Domande per A (tracce):
- Vorrei sapere qualcosa di più sul trattamento economico.
- Qual è l'orario di lavoro?
- Se tutto va bene, quando avreste bisogno di me?

Unità 3

pagina 50

Tracce per A:
- Vorrei avere delle informazioni su un vaggio in Italia di 4-5 giorni, economico e interessante.
- Mi piacerebbe visitare Roma e le città più importanti d'Italia.
- Gli alberghi di che categoria sono?
- Cosa significa "mezza pensione"?
- Con quale compagnia aerea voleremo?
- Che cosa è compreso nel prezzo e cosa non lo è?

Unità 5
pagina 79

Lista, secondo gli psicologi, delle maggiori cause che provocano stress:

1. Problemi familiari
2. Matrimonio
3. Perdita del lavoro
4. Problemi nel lavoro / a scuola
5. Gravidanza
6. Cambiamento situazione economica
7. Cambiamento abitudini personali

8. Difficoltà economiche
9. Figlio/a che lascia la casa
10. Frequentare una nuova scuola
11. Fine di una relazione sentimentale
12. Cambiamento di casa
13. Esame importante
14. Lite con un amico

Unità 11
pagina 177

Materiale per A:

AUTORE	GENERE	CARATTERISTICHE
Niccolò Ammaniti (1966 –)	Narrativa	Linguaggio semplice, trame avvincenti
Alberto Moravia (1907 – 1990)	Narrativa – Saggistica	Racconti e romanzi di analisi sociale e psicologica Saggi di critica letteraria
Italo Calvino (1923 – 1985)	Narrativa – Saggistica	Molto fantasioso, ma anche difficile come linguaggio Saggi letterari
Luigi Pirandello (1867 – 1936)	Teatro – Narrativa	Analisi psicologica, affronta il conflitto individuo-realtà
Umberto Eco (1932 –)	Narrativa – Saggistica	Romanzi filosofici; linguaggio difficile, temi interessanti ma complessi Saggi di critica letteraria e di linguistica

Tracce e spunti per la discussione:
- Cosa mi consiglia per una lettura leggera sotto l'ombrellone?
- Vorrei fare un regalo a un amico che…
- Vorrei leggere un "classico" della letteratura italiana contemporanea / del dopoguerra: cosa mi consiglia?
- Vorrei leggere un autore giovane, ma bravo e di successo: quale autore mi suggerisce? E quale tra i suoi libri?
- Cerco un libro per un ragazzino di 14-15 anni…

Unità 1
pagina 19

*Materiale per **B***:

CORSI ESTIVI			
classico	**intensivo**	**super-intensivo**	**lingua e cultura**
2 ore al giorno per 4 settimane (40 ore) € 300	4 ore al giorno per 4 settimane (80 ore) € 470	6 ore al giorno per 4 settimane (120 ore) € 680	lingua: 4 ore al giorno cultura: 5 ore a settimana per 4 settimane (100 ore) € 750

Corsi supplementari	settimane	ore	prezzo
Cucina italiana	3	12	€ 150
Arte italiana	3	12	€ 170

Periodi dei corsi

    1 giugno – 1 luglio   2 luglio – 2 agosto   3 settembre – 3 ottobre

Alloggio	prezzi indicativi (a persona)
In famiglia con colazione	
Stanza singola	€ 400-480
Stanza doppia	€ 300-350
Appartamento con altri studenti (con uso cucina)	
Stanza singola	€ 330-370
Stanza doppia	€ 270-330

Sono inoltre previste due escursioni:
1. Visita di Firenze e dei suoi monumenti più importanti (seconda settimana)
2. Gita nei dintorni di Firenze: S. Gimignano, Siena e Pisa (terza settimana)

Unità 2
pagina 35

*Materiale per **B***:

Curriculum Vitae

INFORMAZIONI PERSONALI
Nome: Paolo Freddi
Data e luogo di nascita: 5 luglio1980, Torino
Stato civile: celibe
Indirizzo: Corso dei Mille, Torino
Telefono: 340.112233
E-mail: freddino@tiscali.it
Nazionalità: italiana

ISTRUZIONE E FORMAZIONE
TITOLI DI STUDIO
a.a. 2004-2005: Politecnico di Torino. Laurea in **INGEGNERIA ELETTRONICA** (votazione: 110/110).
a.a. 2005-2006: Politecnico di Milano. Master in **TECNOLOGIA DELL'INFORMAZIONE**.

CONOSCENZA DELLE LINGUE
INGLESE: Ottima comprensione e produzione scritta e orale.
FRANCESE: Buona comprensione scritta e orale, buona produzione scritta e orale.

PRATICA DEI SISTEMI INFORMATICI
Buona conoscenza dei sistemi operativi MS-DOS, WINDOWS e Mac Os.
Buona conoscenza dei programmi Office e AppleWorks. Ottima conoscenza di Word, Publisher e Adobe Photoshop.

ESPERIENZE LAVORATIVE
2006-2007: Tirocinio di sei mesi presso il Gruppo *Star Communication* come membro dello staff tecnico degli studi di registrazione audio-visivi.

*Domande per **B** (tracce)*:
- Sarebbe disposto a fare viaggi di lavoro all'estero almeno una volta al mese?
- Secondo lei, quali sono le sue qualità più grandi, nel lavoro?
- Che cosa sa della nostra azienda?
- Sarebbe disposto ad un periodo di prova di tre mesi prima di cominciare?

Unità 3
pagina 50

*Materiale per **B***:

AGENZIA DI VIAGGI *GIRAMONDO*
presenta la sua offerta del mese:
LE CITTÀ DEI SOGNI
CINQUE GIORNI A ROMA-FIRENZE-VENEZIA

Durata: 5 giorni - 4 notti
Sistemazione: mezza pensione in alberghi di 2 e 3 stelle.
Volo: Alitalia
Lingue disponibili: inglese, francese, italiano, spagnolo, tedesco, giapponese
Tappe: Roma, Firenze, Venezia
Prezzo: 990 euro a persona

1° giorno: Roma
Arrivo all'aeroporto di Fiumicino e accoglienza. Visita ai Fori Imperiali e al Colosseo. Aperitivo in Piazza Navona. Cena e pernottamento in albergo.

2° giorno: Roma e Firenze
S. Pietro e i musei Vaticani, piazza di Spagna, Trinità dei Monti, Campidoglio. Pomeriggio: partenza per Firenze.

3° giorno: Firenze
Visita guidata del Museo dell'Accademia (*David* di Michelangelo) e passeggiata nel centro storico con guida bilingue.

4° giorno: Firenze
Ponte Vecchio, Galleria degli Uffizi, Giardini di Boboli. Pomeriggio: partenza per Venezia.

5° giorno: Venezia
Visita guidata della Cattedrale di San Marco, Ponte dei Sospiri e Palazzo dei Dogi. Sight-seeing in vaporetto per il Canale Grande.
Alle 15 imbarco per il volo di ritorno.

- *Sono inclusi nel prezzo: biglietti per l'entrata nei musei e la visita a monumenti, spostamenti in pullman da una città all'altra.*

*Tracce per **B***:

- In Italia, con "mezza pensione" si intende un trattamento che comprende pernottamento, prima colazione e pranzo o cena, a scelta.
- Il prezzo non comprende: i pranzi o le cene al di fuori della mezza pensione, le bevande e i cibi consumati durante il resto della giornata e… il volo!
- Non è possibile cancellare il viaggio. In caso di impossibilità l'agenzia non restituirà alcuna parte dell'importo pagato dal cliente.

Unità 6
pagina 97

*Materiale per **B***:

Questo è il programma del fine settimana di un teatro. Consultalo e dai ad *A* le informazioni che ti chiederà. Di seguito, troverai anche la pianta del teatro con i posti che *A* può scegliere.

L'Accademia musicale e l'Associazione Giovani talenti *presentano:*

IL RIGOLETTO

Musica di Giuseppe Verdi

La famosissima opera di Verdi interpretata dai giovani studenti di lirica dell'Accademia Musicale della nostra regione. Con la collaborazione dell'Associazione *Giovani talenti* che ha contribuito all'allestimento dello spettacolo, con la prestigiosa regia di Luca Ronconi.

Da domenica per 15 giorni.

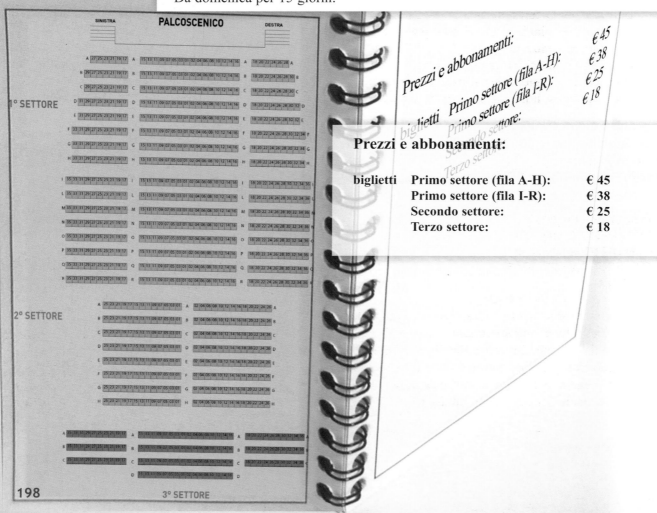

Prezzi e abbonamenti:

biglietti		
	Primo settore (fila A-H):	€ 45
	Primo settore (fila I-R):	€ 38
	Secondo settore:	€ 25
	Terzo settore:	€ 18

Unità 7
pagina 113

*Materiale per **B***:

PREZZO: € 175.000
SUPERFICIE: MQ. 150
CONDIZIONI: abitabile
CAMERE DA LETTO: 2
SERVIZI: 1

- POSTO AUTO INTERNO
  Al centro di delizioso paese, luminoso appartamento
  in villetta bifamiliare di mq. 150 circa su due livelli,
  immediatamente abitabile. Al secondo livello 2 camere, bagno, soggiorno, cucina, terrazzo, al primo livello
  giardino, garage, cucina rustica, depositi vari, termo-
  autonoma, allarme.

PREZZO: € 90.000
SUPERFICIE: MQ. 140
CONDIZIONI: da ristrutturare

- POSTO AUTO ESTERNO
  Bella proprietà con casolare, da ristrutturare, mq. 140
  circa su due piani, garage per 2 posti auto, doppio
  ingresso, al centro del paese. Divisibile in 2 apparta-
  menti con ingressi indipendenti. Ideale come agriturismo, come rifugio dallo stress della citta o per chi
  vuole rilassarsi immergendosi nella natura.

PREZZO: € 135.000
SUPERFICIE: MQ. 150
CONDIZIONI: abitabile
CAMERE DA LETTO: 5
SERVIZI: 2

- POSTO AUTO INTERNO
  Villetta su due livelli più sottotetto, composta da 2
  camere, salone, angolo cottura e bagno al primo piano, e da 3 camere, salone, angolo cottura e bagno al
  piano terra. Cantina, giardino, tutti i servizi, vicina a
  tutti i negozi di prima necessità e ad altre case abitate.
  Ideale anche per due nuclei familiari.

Unità 8
pagina 129

*Materiale per **B***:

Corso di formazione
COMPUTER E INTERNET
prospetto informativo

Descrizione

Il corso si rivolge a coloro che vogliono usare meglio il computer per ragioni di lavoro, di studio o per hobby.
Continue esercitazioni pratiche fanno apprendere in modo semplice e immediato tutti i concetti necessari per avere una padronanza nell'uso del computer.
Il corso mette in grado il partecipante di saper utilizzare i principali servizi presenti su Internet: i motori di ricerca e le tematiche della sicurezza, della privacy e del commercio elettronico. Tutti gli argomenti trattati prevedono esercitazioni pratiche.

Contenuto del corso

- Excel e Word
- Grafici con Excel: creazione, formattazione e modifica
- Database: creazione e gestione
- Virus e sicurezza dati
- Internet: navigazione sui siti Web, l'uso di Internet Explorer, la posta elettronica
- Acrobat Reader e i file in formato PDF
- Internet e la multimedialità
- La sicurezza in Internet: opzioni di protezione di Internet Explorer
- La privacy su Internet
- Come fare acquisti in rete in maniera sicura: il commercio elettronico

Durata

La durata del corso è di sedici ore (otto lezioni di due ore).

Orari e giorni dei corsi

Corsi diurni   9.00 - 13.00 (lunedì - mercoledì - venerdì)
Corsi pomeridiani   14.30 - 18.30 (lunedì - mercoledì - venerdì)

Quota di partecipazione

Il costo del corso per partecipante, comprendente il Manuale del Corso e l'attestato di frequenza, è di 220 euro (IVA inclusa).

Per i corsi individuali il costo orario è di 45 euro (IVA esclusa), per ogni partecipante oltre il primo si aggiungono 10 euro in più.

Unità 9
pagina 145

*Materiale per **B***:

Musei Vaticani

Tra i più importanti musei al mondo, sono suddivisi in numerose sezioni splendidamente allestite che conservano capolavori dei più grandi artisti, raccolti o commissionati dai Papi nel corso dei secoli. Al termine del percorso la Cappella Sistina, *il cui recente restauro ha restituito alla volta e al* Giudizio Universale *di Michelangelo i colori che il tempo aveva offuscato.*

Viale Vaticano - www.vatican.va   e-mail: musei@scv.va
Ingresso: € 12.00, ridotto € 8.00 – gratuito l'ultima domenica del mese 8.45 - 13.45
Orario: dal 7 gennaio al 6 marzo e dal 2 novembre al 24 dicembre 8.45 - 13.45
(ingresso fino alle 12.20)

Foro Romano

Era il centro politico, economico e religioso di Roma Antica; sede di templi, tribunali e altri edifici dove si trattavano gli affari pubblici e privati.

Via dei Fori Imperiali - tel. 0639967700
(informazioni e prenotazioni visite guidate)
Ingresso: gratuito
Orario: 9.00 - 1h prima del tramonto

Colosseo (Anfiteatro Flavio)

Nell'anfiteatro, il più importante monumento della Roma Antica, si svolgevano combattimenti cruenti tra gladiatori e con animali feroci. Diviso in quattro ordini di posti, poteva contenere almeno cinquantamila persone.

Informazioni e prenotazioni tel. 0639967700
Prenotazione online: www.pierreci.it + € 1.50
Ingresso: € 8.00 + € 2.00 supplemento mostra (il biglietto è valido anche per il Palatino)
Orario: 9.00 - 1h prima del tramonto

AGEVOLAZIONI PER L'INGRESSO
NEI MUSEI E LUOGHI D'ARTE STATALI E COMUNALI

Ingresso gratuito per i cittadini dell'Unione Europea che abbiano meno di 18 anni e più di 65.
Riduzione del 50% del prezzo del biglietto per i giovani dell'Unione Europea in età compresa tra i 18 e i 25 anni.

BIGLIETTI CUMULATIVI

- MUSEO NAZIONALE ROMANO CARD: € 7.00 – validità 3 giorni – include l'ingresso alle sedi del Museo Nazionale Romano (Palazzo Altemps, Palazzo Massimo alle Terme, Terme di Diocleziano, Cripta Balbi).
- ROMA ARCHEOLOGIA CARD: € 20.00 – validità 7 giorni – include l'ingresso a: Colosseo, Palatino, Terme di Caracalla, Palazzo Altemps, Palazzo Massimo, Terme di Diocleziano, Cripta Balbi, Tomba di Cecilia Metella e Villa dei Quintili.
  I biglietti cumulativi possono essere acquistati presso tutti i siti e presso il Centro Visitatori dell'APT di Roma in Via Parigi 5.

Unità 11
pagina 177

Materiale per **B**:

Titolo libro	*Autore e genere*	*Consigliato per...*
Ti prendo e ti porto via (1999)	**Niccolò Ammaniti** (1966 –) Narrativa	Storia d'amore con un ritmo da commedia, che si legge in un fiato ma si ricorda a lungo.
Gli indifferenti (1929)	**Alberto Moravia** (1907 – 1990) Narrativa – Saggistica	Un classico della letteratura italiana del Novecento: un romanzo intenso e ancora attuale, sociale e psicologico allo stesso tempo.
Marcovaldo (1963)	**Italo Calvino** (1923 – 1985) Narrativa – Saggistica	Favola moderna e delicata, *Marcovaldo* è un libro per ragazzi ma anche per grandi che non hanno perso la voglia di stupirsi.
Il fu Mattia Pascal (1904)	**Luigi Pirandello** (1867 – 1936) Teatro – Narrativa	Un classico "sempreverde" della letteratura italiana, dove ironia e dramma si uniscono nel paradosso che è la realtà.
Il nome della rosa (1980)	**Umberto Eco** (1932 –) Narrativa – Saggistica	Un best-seller degli anni 80, diventato anche un film di successo con Sean Connery. In realtà è un impegnativo giallo filosofico, complesso e affascinante.

Prima di... cominciare
1. a.-1, b.-3, c.-5, d.-2, e.-8, f.-6, g.-4, h.-7
2. 1. fareste, 2. si sono conosciuti, 3. c'era, 4. dammi, 5. mi sono espresso/a, 6. era partito, 7. rimangono/rimarranno, 8. sarai
3. - 4. - 5. - 8. *Risposta libera*
6. *Risposta suggerita.* **a.**: 1. fantascienza, western; 2. Natale, Ferragosto; 3. camera da letto, cucina, bagno; 4. Primavera, marzo, settembre; **b.** da sinistra a destra: 1, 10, 4, 2, 6, 7, 8, 9, 3, 5
7. 1. al, 2. a, 3. l', 4. gli, 5. gli, 6. gli, 7. A, 8. Lo, 9. vi, 10. a, 11. li, 12. mi

Unità 1
1. 1-b, 2-a, 3-d, 4-c
2. 1-c, 2-d, 3-a, 4-b
3. 1. classico, scientifico, linguistico, artistico; 2. a 6 anni; 3. chi, quale, che/che cosa/cosa, quanto, dove, quando, perché; 4. glieli
4. *orizzontale*: capitolo, mensa, maestra, corso, lingue
verticale: lettere, materia, alunno

Unità 2
1. 1-b, 2-d, 3-a, 4-c
2. 1-a, 2-d, 3-c, 4-b
3. 1. va sano e va lontano; 2. tra gli anni '50 e '60; 3. te ne; 4. che, il quale, con il quale, a cui, il cui ecc.; 5. Gentile sig. Albertini, Spettabile Ditta
4. 1. colloquio di lavoro, 2. disoccupato, 3. licenziare, 4. promuovere, 5. risparmiare, 6. prelevare, 7. assumere, 8. frequentare

Unità 3
1. 1-d, 2-c, 3-e, 4-a, 5-b
2. 1-b, 2-e, 3-d, 4-a, 5-c
3. 1. 3.000.000, 1.500.000; 2. Venezia, Firenze; 3. camera doppia; 4. grandissimo, malissimo; 5. più/meno che, tanto ... quanto
4. 1. turisti, albergo; 2. credito, sconto; 3. volo, biglietti; 4. agenzia, prenotare; 5. colloquio, posto

Unità 4
1. 1-d, 2-c, 3-b, 4-a, 5-e
2. 1-d, 2-e, 3-a, 4-b, 5-c
3. 1. francesi, spagnoli, austriaci; 2. vent'anni; 3. il fiorentino; 4. fece; 5. facilmente
4. *orizzontale*: re, Signoria, volo, porto, fascismo
verticale: medioevo, Resistenza, agenzia, esercito, bagaglio/bagagli

Unità 5
1. 1-e, 2-a, 3-b, 4-c, 5-d
2. 1-b, 2-*frase in più*, 3-a, 4-e, 5-c, 6-d
3. 1. ciclismo, motociclismo; 2. automobilismo, sci, nuoto, atletica leggera; 3. calcio, pallavolo, pallacanestro; 4. forse; 5. legga, dica
4. 1. gare, 2. a patto che, 3. impossibile, 4. sport, 5. occupazione

Unità 6
1. 1-e, 2-a, 3-d, 4-b, 5-c
2. 1-d, 2-a, 3-e, 4-c, 5-b
3. 1. La Traviata, Aida, Rigoletto, Nabucco, Il Trovatore, I Vespri siciliani, La forza del destino; 2. Rossini, Puccini; 3. Giro d'Italia; 4. qualche, ogni; 5. Me lo dica

4. 1. tenore, debutto; 2. interpretazione, applauso; 3. spettacolo, fila; 4. squadre, giocatori; 5. autobus, fermata

Unità 7
1. 1-d, 2-a, 3-c, 4-e, 5-b
2. 1-b, 2-d, 3-e, 4-c, 5-a
3. 1. appartamento, 2. invivibili, 3. risorse, 4. alluvione, 5. volontari
4. 1. Legambiente; 2. agriturismo; 3. Verdi, Rossini, Puccini; 4. benché, sebbene, malgrado, nonostante, purché, perché, affinché ecc; 5. dessi

Unità 8
1. 1-c, 2-e, 3-d, 4-X, 5-b, 6-a
2. 1-c, 2-a, 3-e, 4-b, 5-d
3. 1. Marconi; 2. Galilei, Volta, Meucci, Leonardo; 3. diretto, indiretto, riflessivo; 4. foste stati/e;
4. 1. installare, 2. collegare/collegarsi, 3. allegato, 4. chiamata; 5. invenzione, 6. stampante/stampa, 7. riciclare, 8. cliccare

Unità 9
1. 1-d, 2-a, 3-c, 4-e, 5-b
2. 1-d, 2-b, 3-a, 4-e, 5-c
3. 1. rubare, opera; 2. ladro, Carabinieri, furto; 3. artisti, capolavori; 4. pittore, scultori
4. 1. Leonardo da Vinci, 2. Michelangelo Buonarroti, 3. Galileo Galilei, 4. Teresa era/veniva invitata spesso da Gianni, 5. Deve essere visto

Unità 10
1. 1-c, 2-a, 3-d, 4-e, 5-b
2. 1-c, 2-e, 3-d, 4-a, 5-b
3. 1. il Mezzogiorno/l'Italia meridionale (del Sud), 2. Camorra, 3. gli Uffizi, 4. il giorno dopo
4. 1. spacciatori, tossicodipendenti; 2. carcere, giudice; 3. immigrati, multietnico; 4. boss, criminalità; 5. opere, artisti

Unità 11
1. 1-c, 2-d, 3-a, 4-b
2. 1-d, 2-a, 3-b, 4-c
3. 1. scrittori, 2. letteratura, 3. copertina; 4. rapina
4. 1. Dante Alighieri; 2. Pirandello, De Filippo; 3. partendo; 4. passante

Autovalutazione generale
1. 1.a, 2.b, 3.b, 4.c, 5.a, 6.b
2. 1.f, 2.e, 3.b, 4.c, 5.i, 6.g, 7.h, 8.a
3. 1. interessi, sportello, prelevare; 2. prenotazione, mezza pensione, pernottamento; 3. appunti, tesi, corsi; 4. soprano, libretto, tenore; 6. scultura, statua, dipinto; 7. racconto, romanzo, giallo; 8. doppi servizi, monolocale, cantina
4. 1. mi, 2. *dir*glielo, 3. ciascuno/ognuno, 4. Di, 5. cui, 6. Ci, 7. Ce, 8. ne
5. 1. avrei chiamato, si trattasse; 2. sono stati sorpresi, minacciandoli; 3. arrivati, aver dimenticato; 4. lavorando, farai
6. *1. c - purché*, 2. d - nonostante, 3. f - affinché, 4. a - nel caso, 5. b - prima che, 6. e - a meno che
7. 1. ambientalisti, 2. professionista, 3. tranquillità, 4. spaziosa, 5. improvvisamente, 6. difficoltà
8. Sei stato promosso, aver studiato; 6. fossi, dovresti; 7. si sarebbe trasferita/si è trasferita, dice; 8. si possono, si possono

Indice dei CD audio *Nuovo Progetto italiano 2*

Con il simbolo 9 si indica il numero della traccia così come sarà visualizzato dal lettore CD, una volta inserito il disco.
Con "Traccia **39**" si indicano i dialoghi e i brani di comprensione orale che nel *Libro dello studente* e nel *Quaderno degli esercizi* sono contrassegnati dal simbolo 39

CD-ROM interattivo

Questo innovativo supporto multimediale completa e arricchisce *Progetto italiano 2*, costituendo un utilissimo sussidio per gli studenti. Offre tante ore di pratica supplementare a chi vuole studiare in modo attivo e motivante. Un'interfaccia molto chiara e piacevole lo rende veramente facile da usare.

Dopo una breve installazione (vedi sotto), ci si trova davanti alla **pagina centrale**. Queste le prime informazioni da conoscere:

Tabelle grammaticali per una consultazione rapida.

Attività del tutto nuove, non solo di grammatica, ma anche di ascolto, lessico, elementi comunicativi, giochi...

I testi di civiltà, con attività e link per collegarsi a Internet!

Tutti i brani del cd audio del libro, da ascoltare liberamente a casa.

Tutti gli elementi comunicativi per una ripetizione libera.

Suggerimenti e risposte a possibili domande e dubbi sull'uso del CD-ROM.

Gli *strumenti* ti permettono di scegliere i colori e modificare il volume dell'audio.

Nella *pagella* puoi trovare e stampare i risultati di tutte le attività che hai fatto.

Questi **comandi** si trovano su ogni schermata. Non è difficile capire cosa significano:

torna indietro — back

pagina centrale — home page

con o senza audio — audio on/off

play/pause

vai avanti — forward

valutazione dell'attività e soluzioni — evaluation and solutions

strumenti — tools

aiuto — help

ripeti l'attività — repeat

Buon lavoro e buon divertimento!

Installazione: Inserire il CD-ROM nel lettore; fare doppio clic su My computer, sul lettore CD e infine su *setup.exe*; dare tutte le informazioni che chiede il programma e cliccare sempre su next/avanti. **Per avviare il programma**: Inserire sempre il CD-ROM nel lettore CD; cliccare sull'icona creata sul desktop, oppure andare a Start, selezionare Programs e cliccare su Progetto italiano 2. **Requisiti minimi**: Windows 98/Me/2000/XP, Processore Pentium III, lettore CD 16x, scheda audio, 128 MB di RAM, grafica 800x600, 300 MB sul disco fisso, altoparlanti o cuffie.

Installation: Insert the CD-ROM in the drive; double click on My computer, then on the CD drive and finally on *setup.exe*; give all the required information and click on next/avanti. **To start the program**: Always insert the CD-ROM in the drive; click on the desktop icon created during the installation or go to Start, select programs and click on Progetto italiano 2. **Minimal system requirements**: Windows 98/Me/2000/XP, Processor Pentium III, CD-ROM drive 16x, sound card, 128 MB RAM, 800x600 or higher screen resolution, 300 MB free hard disk, speakers or headphones.

edizioni EdiLingua

Nuovo Progetto italiano 1 T. Marin - S. Magnelli
Corso multimediale di lingua e civiltà italiana
Livello elementare

Nuovo Progetto italiano 2 T. Marin - S. Magnelli
Corso multimediale di lingua e civiltà italiana
Livello intermedio

Nuovo Progetto italiano 3 T. Marin
Corso multimediale di lingua e civiltà italiana
Livello intermedio - avanzato

Allegro 1 L. Toffolo - N. Nuti
Corso multimediale d'italiano. Livello elementare

That's Allegro 1 L. Toffolo - N. Nuti
An Italian course for English speakers
Elementary level

Allegro 1 A. Mandelli - N. Nuti
Esercizi supplementari e test di autocontrollo
Livello elementare

Allegro 2 L. Toffolo - M. G. Tommasini
Corso multimediale d'italiano
Livello preintermedio

Allegro 3 L. Toffolo - R. Merklinghaus
Corso multimediale d'italiano. Livello intermedio

La Prova orale 1 T. Marin
Manuale di conversazione. Livello elementare

La Prova orale 2 T. Marin
Manuale di conversazione
Livello intermedio - avanzato

Video italiano 1, 2, 3 A. Cepollaro
Videocorso italiano per stranieri
Livello elementare - medio - superiore

Vocabolario Visuale T. Marin
Livello elementare - preintermedio

Vocabolario Visuale - Quaderno degli esercizi
T. Marin. Attività sul lessico
Livello elementare - preintermedio

Diploma di lingua italiana A. Moni - M. A. Rapacciuolo. Preparazione alle prove d'esame

Sapore d'Italia M. Zurula
Antologia di testi. Livello medio

Primo Ascolto T. Marin
Materiale per lo sviluppo della comprensione orale
Livello elementare

Ascolto Medio T. Marin
Materiale per lo sviluppo della comprensione orale
Livello medio

Ascolto Avanzato T. Marin
Materiale per lo sviluppo della comprensione orale
Livello superiore

Scriviamo! A. Moni
Attività per lo sviluppo dell'abilità di scrittura
Livello elementare - intermedio

Al circo! B. Beutelspacher
Italiano per bambini. Livello elementare

Forte! 1 L. Maddii - M. C. Borgogni
Corso di lingua italiana per bambini (6-11 anni)
Livello elementare

Collana Raccontimmagini S. Servetti
Prime letture in italiano. Livello elementare

Una grammatica italiana per tutti 1
A. Latino - M. Muscolino
Livello elementare

Una grammatica italiana per tutti 2
A. Latino - M. Muscolino
Livello intermedio

I verbi italiani per tutti R. Ryder
Livello elementare - intermedio - avanzato

Raccontare il Novecento
P. Brogini - A. Filippone - A. Muzzi
Percorsi didattici nella letteratura italiana
Livello intermedio - avanzato

Invito a teatro L. Alessio - A. Sgaglione
Testi teatrali per l'insegnamento dell'italiano a
stranieri. Livello intermedio - avanzato

Mosaico Italia M. De Biasio - P. Garofalo
Percorsi nella cultura e nella civiltà italiana
Livello intermedio - avanzato

Collana l'Italia è cultura M. Zurula
Lineamenti di storia, letteratura, geografia, arte,
musica, cinema e teatro

Collana Primiracconti
Letture graduate per stanieri. *Traffico in centro*
(livello elementare) e *Un giorno diverso* (livello
elementare - preintermedio) M. Dominici

Collana Cinema Italia A. Serio - E. Meloni
Attività didattiche per stranieri. *Io non ho paura -
Il ladro di bambini* (livello intermedio - avanzato)

Collana Formazione

italiano a stranieri (ILSA)
Rivista quadrimestrale per l'insegnamento
dell'italiano come lingua straniera/seconda